LA LITERATURA PERDIDA DE LA EDAD MEDIA CASTELLANA. CATÁLOGO Y ESTUDIO

ALAN DEYERMOND

LA LITERATURA PERDIDA DE LA EDAD MEDIA CASTELLANA. CATÁLOGO Y ESTUDIO

I

Épica y romances

EDICIONES UNIVERSIDAD DE SALAMANCA

OBRAS DE REFERENCIA
7

1.ª edición: enero 1995
ISBN: 84-7481-797-8 (O.C.)
ISBN: 84-7481-794-3
Depósito Legal: S. 47-1995

Ediciones Universidad de Salamanca
Apartado 325
E-37080 Salamanca (España)

Impreso en España - Printed in Spain
Europa Artes Gráficas, S.A.
C/. Sánchez Llevot, 1
Teléf.: (923)* 22 22 50
Fax: 22 22 61
E-37005 Salamanca (España)

*

CEP. Servicio de Bibliotecas

DEYERMOND, Alan
La literatura perdida de la Edad Media
castellana : catálogo y estudio . -
Salamanca : Universidad, 1995

I : Épica y romances

1. Literatura española-S. X-XV-Bibliografías
016:860"9/14"
860"9/14:016

a Samuel G. Armistead

ÍNDICE

PREFACIO

EN EL PRESENTE TOMO y en los siguientes ofrezco un catálogo de las obras literarias castellanas de la Edad Media hoy perdidas, acompañado de una serie de estudios. Los fines de mi libro quedan explicados en el primer capítulo, así como los problemas que he encontrado en la investigación de la literatura perdida y los métodos elegidos para el trabajo. En estas palabras preliminares, sólo quiero destacar lo provisionales que son mis resultados y la naturaleza esencialmente colaborativa de la investigación. Los investigadores de hoy dependemos casi a cada paso de los trabajos no sólo de nuestros contemporáneos sino de generaciones de antecesores. En palabras de Bernard de Chartres, "nos esse quasi nanos, gigantium humeris incidentes". Añadiría yo que además de apoyarnos en los hombros de los gigantes, para ver más que ellos, nos apoyamos también en otros enanos, pues es casi imposible encontrar un trabajo que no sea de provecho para alguna que otra investigación. Esta verdad general se aplica de manera especial a una investigación de enfoque amplio como la de la literatura perdida.

Señalo en las referencias bibliográficas de cada entrada los libros, artículos y otros trabajos que han contribuido a mis conocimientos sobre la obra perdida que estudio en la entrada. Cuando un colega me sugirió la inclusión de una entrada, me proporcionó datos o me corrigió errores, sus iniciales van al final entre corchetes, y se recogen en un índice de colaboradores. Huelga decir que carecen de responsabilidad sobre mis conclusiones (tal vez estén de acuerdo con ellas, tal vez no), y sobre los errores que sin duda quedan. También ha habido colegas que me han ayudado mucho en la penúltima etapa, la de redactar el libro. El Prof. David Hook, del King's College London, comentó acertadamente un borrador de gran parte del apartado Aa; la Dra María Luzdivina Cuesta Torre, de la Universidad de León, corrigió muchos defectos lingüísticos y estilísticos del primer capítulo; y D. Vicente J. Forcadell Durán, de Ediciones Universidad de Salamanca, leyó todo el libro en su penúltima versión y me ofreció muchas y valiosas sugerencias estilísticas.

Mención aparte merece el Dr. Alberto Montaner Frutos, de la Universidad de Zaragoza: leyó la mayor parte del apartado Aa, me envió una carta de doce páginas, llena de datos, reparos y sugerencias, y me facilitó fotocopias de muchos trabajos que yo no había logrado localizar o que, lamentablemente, desconocía.

Durante mis casi veinte años de investigador de la literatura perdida, me han apoyado y animado dos entornos. Uno, el Departamento de Estudios Hispánicos del Westfield College (ahora Queen Mary and Westfield College), donde mis colegas y alumnos han creado un ambiente que nutre la investigación, y donde el Medieval Hispanic Research Seminar, con su mezcla de colegas británicos y visitantes de España y otros países, constituye un extraordinario estímulo y una fuente inagotable de datos e ideas. Otro, el ambiente familiar, donde mi mujer Ann y nuestra hija Ruth no sólo han soportado con lealtad ejemplar los problemas ocasionados por mis preocupaciones y por mis montones de libros y papeles, sino que me han apoyado e inspirado constantemente.

En la etapa final, D. José Antonio Sánchez Paso, Director de Ediciones Universidad de Salamanca, D. Vicente J. Forcadell Durán y sus colegas de la editorial han trabajado con gran esmero y rapidez para asegurar la publicación de este tomo a tiempo y con pulcritud tipográfica. Por si fuera poco, han aceptado mi propuesta de publicar ediciones revisadas de los tomos del libro cuando éstos se agoten.

La revisión será una necesidad constante, a causa de nuevos descubrimientos, y de los muchos defectos que tiene este libro, a pesar de los muchos años de su gestación y de la ayuda tan copiosamente ofrecida. Ruego a los lectores que me comuniquen los errores que encuentren y sus sugerencias para la mejora del catálogo. Espero que resulte, con todos sus defectos, un recurso útil para los hispanomedievalistas, y estoy seguro de que, con la colaboración de sus lectores, su utilidad aumentará.

Es imposible terminar sin decir unas palabras sobre la causa de la publicación del libro. Cuando el jurado del Premio Internacional Elio Antonio de Nebrija me honró con la concesión del Premio correspondiente al año 1994, la Universidad de Salamanca me honró adicionalmente con el ofrecimiento de publicar un libro mío, sugiriéndome que el más indicado sería este catálogo. Sin la necesidad de cumplir el compromiso así adquirido, me temo que hubiera aplazado muchos años más la publicación de mis resultados. La iniciativa de la Dirección de Cursos Internacionales de Salamanca al dotar el Premio es la muestra suprema de la entrañable generosidad con la cual España recibe y anima a los hispanistas extranjeros.

Este tomo va dedicado a Samuel G. Armistead, conocedor como nadie de la épica y el romancero hispánicos. Es el Menéndez Pidal de nuestros días. No siempre estoy de acuerdo con él, pero me apoyo siempre en sus investigaciones y aprecio siempre la generosa ayuda que proporciona a otros investigadores.

ALAN DEYERMOND
Queen Mary and Westfield College, London
Diciembre de 1994

PROBLEMAS Y MÉTODOS DE LA INVESTIGACIÓN DE LA LITERATURA PERDIDA

1. INTRODUCCIÓN

LA PÉRDIDA DE TEXTOS LITERARIOS preocupaba mucho a Tomás Antonio Sánchez. En el prólogo al primer tomo de su *Colección de poesías castellanas anteriores al siglo* XV, dice:

> he tenido siempre un gran deseo de publicar una colección de nuestras primeras poesías para que el tiempo, los incendios, la polilla, y otros enemigos que tienen los códices, no acabaran con ellos y se perdiera del todo su memoria. Siempre he creído que un gran caudal de nuestra lengua, de nuestra historia, de nuestras costumbres y literatura antigua, yacía como mudo entre las tinieblas del más profundo olvido y abandono. (1779: fol. *4v)

Empecé hace casi veinte años a recoger datos sobre la literatura perdida, una investigación que me pareció al principio bastante sencilla y de poca extensión. Me di pronto cuenta de lo ingenua que era tal creencia: en sólo dos años reuní 250 fichas y me hice una impresión adecuada de lo que necesitaba el proyecto. Presenté mis primeros resultados ante el Medieval Hispanic Research Seminar del Westfield College y ante la sección medieval de la Association of Hispanists of Great Britain and Ireland en febrero-marzo de 1977. La primera entrega de un catálogo policopiado tenía 230 fichas, y el número aumentó rápidamente, gracias en parte a la colaboración de mis colegas británicos y de algunos norteamericanos que habían recibido el catálogo[1]. Un informe que di a

[1] *The Lost Literature of Medieval Spain: Notes for a Tentative Catalogue* (London: Department of Spanish, Westfield College, febrero de 1977). Los cinco suplementos salieron en febrero (supl. 1), marzo (2 & 3) y julio de 1977 (4), y en

la California Romance Philology Convocation (octubre de 1977) inició una fase más amplia de colaboración norteamericana, y algunos colegas españoles empezaron a interesarse en el proyecto, de modo que logré eliminar varias fichas de obras que efectivamente no se habían perdido, y aumentó el número de fichas válidas a 500 en el quinto suplemento al catálogo. La ampliación del catálogo ha ido más despacio en los últimos años, en parte a causa de otros proyectos, pero principalmente porque nos acercamos, según creo, a los límites de lo que se puede saber de las obras perdidas. Con todo, hay más de 100 fichas posteriores al quinto suplemento, de modo que las obras perdidas fichadas ascienden ya a 600. Se trata, desde luego, de un esfuerzo colectivo: tal vez haya investigadores capaces de elaborar, sin la ayuda de ningún colega, un catálogo definitivo de la literatura perdida, pero no soy uno de ellos. Se necesita no sólo la colaboración de colegas británicos y norteamericanos, sino una aportación del nuevo y espléndido hispanomedievalismo de España, ya que son los colegas españoles los que trabajan cada día en las bibliotecas y los archivos del país.

Existen unos pocos proyectos de este tipo en la investigación de otras literaturas. El más conocido —y el mejor— es el libro de R. M. Wilson (1970) sobre la literatura anglosajona y la inglesa medieval (véase también Chambers 1924-25), pero el libro de Henry Bardon (1952-56; también West 1905) sobre obras perdidas en el latín clásico es también utilísimo, a pesar de su enfoque más selectivo. Según creo, no hay catálogo ni libro narrativo sobre la literatura perdida medieval francesa, latina, italiana, alemana, catalana, portuguesa, etc[2]. Hace años esto me sorprendió, pero después de

---

septiembre de 1979 (5). Varios artículos forman una parte del proyecto: DEYERMOND 1976-77; WALSH & DEYERMOND 1979; DEYERMOND 1981, 1986a, 1990 y en prensa.

[2] Hay un artículo interesante sobre la literatura perdida de la Edad Media latina (SWEENEY 1971), dos sobre la de Escocia (HUGHES 1980; LYALL 1989), dos sobre un género de la de Islandia (JESCH 1982-83, 1984). Ofrezco materiales para un catálogo portugués en dos artículos: DEYERMOND 1982a y 1986b. Un catálogo amplio, sin

experimentar las dificultades de tal proyecto entiendo muy bien por qué no se ha llevado a cabo para la gran mayoría de las literaturas. En cuanto a España, el artículo de Ursicino Domínguez del Val (1971) es imprescindible para el estudio de las pérdidas en la literatura religiosa de las épocas romana y visigoda, pero naturalmente no se ocupa de obras vernáculas. Para éstas, contamos con algunos estudios sobre géneros o autores, como el libro clásico de Ramón Menéndez Pidal sobre la épica (Menéndez Pidal et al. 1951), o el artículo reciente y magistral de Pedro M. Cátedra (1985) sobre Enrique de Villena. Queda patente, sin embargo, la necesidad de un estudio y catálogo de conjunto.

Las finalidades del proyecto (aparte del interés del coleccionista, que no es nada despreciable) son dos. Primero, nos proporcionará una visión más amplia y más adecuada de cómo era la literatura medieval española, no limitada a lo que por casualidad existe hoy (Menéndez Pidal insistió repetidas veces y con razón en esta finalidad, aunque se limitó indebidamente a ciertos géneros, los que para él representaban la esencia popular y realista de la literatura española). Segundo, la finalidad práctica de proporcionar una "lista de compras" para que los hispanomedievalistas sepan, al encontrar en una biblioteca o un archivo una obra que no conocen, si se trata de una obra que se creía perdida; es decir, que el catálogo sea el complemento negativo del recurso fundamental del hispanomedievalista, la *Bibliography of Old Spanish Texts* (Faulhaber et al. 1984; véase también Faulhaber & Gómez Moreno 1986). La segunda finalidad importa sobre todo a los investigadores jóvenes de España, tan numerosos y tan eruditos.

---

embargo, tiene que ser el trabajo de un especialista, que tomaría como punto de partida las investigaciones de Avelino de Jesús da Costa. Los resultados obtenidos por Costa se reunieron en cinco tomos de informes, escritos a máquina y presentados al Instituto de Alta Cultura. Por desgracia no se publicaron, aunque algunos de sus resultados se extractaron para formar COSTA 1949. El prof. José Manuel Díaz de Bustamante me dice que es posible que los tomos se hayan perdido; si es verdad, es un desastre para la investigación.

2. Causas y épocas de las pérdidas

Un apartado de las *Reliquias de la poesía épica* de Ramón Menéndez Pidal, un artículo de Colin Smith y otro de Brian Tate nos ofrecen muchos datos interesantes y observaciones atinadas sobre este tema (Menéndez Pidal et al. 1951: xvi-xviii; Smith 1984; Tate 1988). Coinciden hasta cierto punto con las conclusiones provisionales que ofrecí en las comunicaciones ya aludidas, pero han ahondado más —y con gran provecho— en varios aspectos del tema. Las causas más importantes de la pérdida son:

a. Los incendios en bibliotecas y archivos. Dos de los más desastrosos de la Europa occidental ocurrieron en el curso de sesenta años: el incendio de El Escorial (1671), en el cual más de 4.000 códices perecieron, y el de la biblioteca Cotton en Inglaterra (1731). Las pérdidas de 1671 se conocen gracias a un *Índice general* recopilado a fines del siglo XVI (Antolín 1923: 434-35). Tal vez sea el mejor ejemplo de las posibles consecuencias de tales incendios el hecho de que el manuscrito único de *Beowulf* apenas se escapó en el de la biblioteca Cotton, y de que el manuscrito único de *The Battle of Maldon* fue destruido en el mismo incendio poco después de la salida de su primera edición (Wilson 1970: 18 y 24; cpse Casley 1734). Los incendios de bibliotecas no se limitan desde luego a los de las grandes colecciones, sino que se producen incluso con mayor facilidad en las pequeñas bibliotecas de casas particulares, de modo que esta causa de pérdida se solapa con la de:

b. La guerra y la revolución. El caso más notorio de España es el robo y la dispersión de la biblioteca de Bartolomé José Gallardo, en Sevilla, en 1823 (Rodríguez-Moñino 1965). Los mismos manuscritos se perdieron dos veces por esta causa: una ironía trágica hizo que varios, robados a Gallardo en 1823, recuperados posteriormente y legados a sus herederos, resultasen quemados cuando unos soldados franquistas, alojados en una casa particular del Norte de España, provocaron un incendio al hacer lumbre para calentarse. En las guerras civiles del siglo XV se perdió el borrador de la *Crónica de Enrique IV* de Diego Enríquez del Castillo, que debe de haber sido bastante distinto de la versión existente:

> Pero si aquesta Corónica no fuere tan copiosa e complida como debe, de las cosas que sucedieron en la prosperidad del Rey, primero que le viniesen las duras adversidades, merezco ser perdonado con justa escusación; porque fui preso sobre seguro en la cibdad de Segovia, quando fue dada por trayción a los caballeros desleales; donde me robaron, no solamente lo mío, mas los Registros con lo procesado que tenía scripto de ella, visto que la memoria, según la flaqueza humana, tiene mayor parte de la olvidanza, que sobra de la recordación. (Rosell 1878: 100b)

Smith (1984: 143) menciona otros ejemplos de pérdidas debidas a la guerra. Parece muy posible que ésta, y las dos causas que se indican a continuación, hayan ocasionado una proporción más elevada de pérdidas relativamente recientes en España que en otros países.

c. La desamortización de los monasterios. Wilson (1970: 156-58) duda que la desamortización inglesa, del siglo XVI, haya causado pérdidas graves de obras medievales (véase también Wright 1949-53). En cuanto a la de Mendizábal, de 1835-36, es difícil estimar la extensión del perjuicio (véase Smith 1984: 137 y 145-46).

d. Los hurtos de manuscritos e incunables, no sólo por lectores que abusan de los privilegios concedidos por los bibliotecarios, sino también en las ventas clandestinas por los bibliotecarios mismos. Hay leyendas negras que culpan a bibliófilos famosos de varios hurtos, y Rodríguez-Moñino supo demostrar la falsedad de un alegato contra Gallardo (1965: 10); pero los hurtos, quienquiera que fuera el responsable de cada uno, constituyen una realidad constante y desastrosa en la historia de las bibliotecas españolas. Testigo de ella —si es que se necesita un testigo—, la Biblioteca Colombina[3].

e. La polilla, los ratones, la humedad y otras causas orgánicas, sobre todo en bibliotecas poco cuidadas. Es verdad que la polilla suele estropear un libro, y que son relativamente raros los casos de destrucción total de un texto único, pero tales casos deben de haber existido.

f. El empleo intensivo de parte de los lectores. Las primeras y las últimas hojas de un códice, y los pliegos sueltos, son especialmente vulnerables, y cuando hay que encuadernar un tomo de nuevo la pérdida de unas hojas es un peligro constante. Si se trata de un tomo que contiene obras breves —poesías líricas, por ejemplo— varias piezas se perderán fácilmente.

g. La censura política, religiosa o moral. La censura política parece ser la más eficaz en la destrucción total de una obra. Las penalidades infligidas a poetas y prosistas subversivos en la Europa medieval solían ser ferocísimas (véase, por ejemplo, Wilson 1970: 193-94), lo que explica, por ejemplo, la escasez de romances existentes contra Enrique de Trastámara, mientras que existe buen número de romances de sus partidarios que atacan a Pedro I. Y la censura política bajo los primeros reyes de la dinastía Trastámara no se restringió a la poesía oral: aunque un manuscrito del *Qüento de los reyes*, de Pero Fernández Niño (abuelo del héroe de *El Victorial*), sobrevivió hasta ser leído y utilizado por Gutierre Díez de Games, la posesión de una crónica escrita por un partidario del rey asesinado debió de ser

[3] Véase RODRÍGUEZ-MOÑINO 1976 para datos sobre la historia de la biblioteca. Cpse lo que dice SMITH (1984: 139) de lo que pasó con la biblioteca de la Catedral de Sigüenza.

bastante peligrosa, y no existe ningún manuscrito (Deyermond 1986a: 171-72)[4]. Es probable, además, que la depuración Trastámara de los archivos castellanos haya destruido no sólo documentos sino manuscritos literarios y paraliterarios. En época mucho más reciente —en 1854— la biblioteca del Conde de San Luis fue quemada por razones políticas; se sabe que varios incunables perecieron, y es posible que la biblioteca incluyera el ejemplar único de alguna obra medieval (Amador de los Ríos 1875: 779n). El caso más notorio de la censura religiosa y moral es la quema de la biblioteca de Enrique de Villena por el obispo Lope de Barrientos, por mandato del rey Juan II (Gascón Vera 1979; Cátedra 1985). Este acto de destrucción, sin embargo, parece insignificante en comparación con la quema de los libros arrianos cuando el rey Recaredo se convirtió al catolicismo en 587, o con las sucesivas destrucciones de las bibliotecas de Andalucía por almorávides y cristianos (véase Smith 1984: 137-38). Un caso aislado, pero de gran interés, es el del folleto de unos conversos de tendencia judaizante, en que se criticaban los sermones sevillanos de fray Hernando de Talavera. El panfleto fue pronto suprimido, y su título es desconocido (tenemos que utilizar la descripción de Hernando de Talavera, *El herético libelo*), pero gran parte de su argumentación, y muchas frases del texto, se conservan paradójicamente en la *Católica impugnación*, la contestación que escribió Hernando de Talavera en 1481 (Márquez Villanueva & Martín Hernández 1961; Avalle-Arce 1974; Lobera Serrano 1989).

h. Relacionada con la causa que acabamos de considerar está la pérdida de la literatura clandestina por el mero hecho de ocultarse. En casos extremos, como los de la literatura cabalística o la literatura de los cátaros en

[4] Para otra opinión sobre el papel del *Qüento de los reyes* en la formación de *El Victorial*, véase BELTRÁN LLAVADOR 1986: 133-36, 671-712 y 966-70; 1989.

España, sabemos tan poco que sólo podemos especular, pero un caso de la literatura semiclandestina —la aljamiada— nos ofrece muchos textos recuperados y buena posibilidad de saber lo que se perdió (López-Baralt 1980).

i. Obras superadas solían (y suelen) desaparecer rápidamente, aun si existieron muchísimos ejemplares. Un bibliógrafo inglés observa que: "Just as it is difficult now to find a copy of the London Telephone Directory of 1920, the texts of Irnerius and the early glossators were entirely superseded by the big fourteenth-century law commentaries of Baldus and Bartolus" (Goldschmidt 1943: 12). La superación puede ser paleográfica además de práctica: Ramón Menéndez Pidal cree que el cambio de la letra visigótica a la carolingia explica gran parte de la pérdida de obras de la Alta Edad Media en España (Menéndez Pidal et al. 1951: xvii); aunque exagera los efectos del cambio, como comenta Smith (1984: 142), las pérdidas debidas a esta causa fueron sin duda considerables.

j. Muchos autores medievales descuidaron sus obras: el concepto de personalidad literaria, de una íntima conexión entre la obra y la vida de su autor, casi no existe en la Edad Media. Debemos darnos cuenta, por otra parte, de que ni siquiera un autor que se preocupa por la conservación de sus obras tiene siempre éxito: testigo, la copia autorizada de sus obras que Juan Manuel legó al monasterio de Peñafiel y que desapareció pronto, de modo que varias obras suyas se han perdido totalmente.

k. El descuido de los poseedores de bibliotecas y archivos, sobre todo el de los herederos de los particulares, habrá causado pérdidas literarias en todo siglo, pero sabemos más de lo que pasó a partir del siglo XVII: Smith (1984: 143-44) nos recuerda el triste destino de la biblioteca de Gonzalo Argote de Molina en el siglo XVII, de la del monasterio de San Pedro de Cardeña en los siglos XVI-XVIII, y del archivo del Duque de Sessa en 1869. Un desastre comparable es el de una parte de la biblioteca napolitana de Alfonso el Magnánimo, la cual, conservada durante tres siglos en el monasterio valenciano de San Miguel de los Reyes, fue dispersada en el siglo XIX. Algunos de sus libros pasaron a la Universidad de Valencia, pero muchos códices se vendieron a bajo precio, "pensando que por ser de mano y de lengua toscana no valían nada, y esta venta fue sin números ni memoria" (Mazzatinti 1897: cxxvii).

l. Manuscritos e incunables se desgajaron para la encuadernación de otros tomos, o para finalidades semejantes (como nos recuerda Menéndez Pidal et al. 1951: xvii). Esto, sin embargo, asegura a veces la conservación de algunas hojas, como en el caso de *Roncesvalles* (Aa21, infra). Se desgajaron también para propósitos en que sólo se aseguraba la conservación parcial si algún bibliófilo tropezaba con el responsable de la destrucción: así, el Conde de Valencia de Don Juan rescató varios papeles del archivo del Duque de Sessa que se empleaban como papel higiénico (Smith 1984: 143); y Thomas Percy dijo en 1769 que había encontrado el manuscrito que iba a transformarse en *Reliques of Ancient English Poetry* cuando estaba en Shifnal, Shropshire, en casa de Humphrey Pitt, un pariente muy distante: "I saw it lying dirty on the floor [del salón]: being used by the Maids to light the fires" (Davis 1989: 24).

m. Poesías y otros textos compuestos para acompañar pinturas murales se pierden cuando el muro es derribado (Wilson 1970: 176-77). El ejemplo más famoso es probablemente el texto de la *Danse macabre* que estaba pintado en el muro del cementerio de los Santos Inocentes de París, aunque en este caso es muy posible que un texto idéntico se haya conservado en un manuscrito (Clark 1950: 22-24). En España, el epitafio poético de Ruy García (muerto en 1297) se conservó en la iglesia de Santa Leocadia, en Toledo, hasta fines del siglo XVIII; se creía perdido, pero un texto del epitafio se conservó y se ha publicado (Amador de los Ríos 1861-65: II, 233; Jones 1978-79). No sé si alguna obra se ha perdido definitivamente en España de este modo.

n. La causa más frecuente, y más obvia, de la pérdida es que una obra se compusiera oralmente y no se pusiera por escrito durante su vida oral. Gran parte de la poesía lírica y épica más temprana y muchísimos cuentos folklóricos (sobre todo los obscenos) se han perdido de este modo. A veces una obra escrita de la Edad Media conserva un fragmento o un resumen de un poema épico, o lo prosifica; a veces un fragmento de una poesía lírica se incluye en la obra de un autor cortesano o eclesiástico; a veces una poesía lírica o un cuento es adaptado por un autor culto. De todos estos modos logramos saber algo de la obra perdida, y lo mismo pasa si un romance, un cuento o una canción lírica vive en la tradición oral hasta que un investigador lo oye, como en el incidente famoso del viaje de novios de Ramón Menéndez Pidal y María Goyri (Pérez Villanueva 1991: 178). Hay que recordar, sin embargo, que aun en tales casos, que son para nosotros los más afortunados, la adaptación por un autor culto o la transmisión oral a través de los siglos habrá transformado la poesía o el cuento de tal modo que la obra original quedará perdida. Y en la gran mayoría de los casos una obra oral de la Edad Media española no habrá dejado indicio alguno de su existencia (véase Deyermond 1989).

o. Pueden también darse pérdidas transitorias, aunque siempre existe el peligro de que se conviertan en definitivas. Muchas de estas pérdidas se deben a los bibliotecarios, tanto modernos como medievales. Si un libro es mal catalogado, o colocado erróneamente en los estantes de una gran biblioteca, es en efecto obra perdida. Goldschmidt (1943: cap. 3) nos informa de algunas raras costumbres de quienes recopilaron los catálogos medievales y de los encuadernadores. En cuanto a los catálogos modernos, es innecesario recordar a los medievalistas los casos extraños que pueden ocurrir.

p. Otra causa de pérdida transitoria es la venta de un códice o un incunable a un coleccionista sigiloso. El *Cancionero del Conde de Haro* y el de *Oñate-Castañeda* son ejemplos recientes de códices perdidos así y que afortunadamente se han localizado. Es incluso posible que un bibliófilo e investigador adinerado compre una biblioteca entera —como hizo Archer M. Huntington con la biblioteca del Marqués de Jerez de los Caballeros— con la intención de hacerla asequible a otros investigadores, y que varias circunstancias impidan su intención durante decenios (Rodríguez-Moñino & Brey Mariño 1965-66; Faulhaber 1983).

La época de la pérdida varía mucho. Puede ser contemporánea a la composición de la obra, como en el caso ya citado de la *Crónica de Enrique IV*, de Diego Enríquez del Castillo, o de un sinnúmero de obras orales, y puede ser muy reciente: varias obras medievales se han perdido en los últimos cien años, aunque la publicación de muchos textos, y el empleo cada vez más frecuente del microfilm, consiguen que la pérdida de un códice o de un libro impreso único no signifique la pérdida de la obra literaria (aunque sí imposibilite el estudio codicológico, etcétera): por ejemplo, la versión aumentada de la *Danza de la Muerte*, publicada por Amador de los Ríos (1861-65: VII, 501-40) a partir de un impreso de 1520, ejemplar único que desapareció durante más de un siglo[5]. (Irónicamente, muchas ediciones decimonónicas de textos

[5] El impreso acaba de salir de las tinieblas, y está en la biblioteca de Pedro M. Cátedra (GÓMEZ MORENO 1991: 103n). Ya se ha mencionado la publicación de *The Battle of Maldon* poco antes de la pérdida del manuscrito único en el incendio de 1731. Hay otro caso parecido en la épica anglosajona: "the *Finn Fragment* was printed by George Hickes from a single isolated leaf found in a volume of homilies in the Lambeth Library. It has not been seen since, so that the printed version by Hickes remains the only authoritative source" (WILSON 1980: 18).

medievales han resultado mucho más frágiles que los manuscritos originales, a causa del papel ácido en que se imprimieron. Ya que varias ediciones eruditas se publicaron en tiradas muy pequeñas —el caso límite, según creo, es una edición de 20 ejemplares—, los bibliotecarios están muy preocupados por la inminente pérdida de dichas ediciones, y tienen que dedicar grandes esfuerzos y bastante dinero a su conservación: véase Jordan 1991.) En nuestro siglo, sin embargo, las pérdidas son —a pesar de la dispersión de grandes bibliotecas particulares y de la destrucción causada por dos guerras mundiales y la guerra civil española— menos frecuentes que el redescubrimiento de obras perdidas (por ejemplo, el *Triunfo de Amor*, de Juan de Flores, o varios cancioneros). Incluso se han descubierto varias obras cuya existencia ni siquiera se había sospechado: *Elena y María* a principios del siglo, las jarchas por los años cuarenta, la *Fazienda de Ultra Mar* veinte años más tarde, el *Auto de la Pasión* toledano y *La coronación de la señora Gracisla* por los años setenta, y muchos otros ejemplos; uno de los descubrimientos más recientes es el del *Devocionario* de la dominica Sor Constanza, cuya publicación por Constance Wilkins se espera en breve.

3. Fuentes de información

Es obvio que una obra puede desaparecer sin dejar huella alguna (repito que nunca se había sospechado la existencia de algunas obras descubiertas en el siglo xx), de modo que nunca sabremos la extensión de la pérdida sufrida por la literatura medieval española. Muchas obras, sin embargo, dejaron al perderse indicios más o menos seguros, más o menos informativos, y a partir de tales indicios se construyen las fichas del catálogo. Las fuentes de información son de varios tipos:

a. La fuente mas obvia y fidedigna es la existencia de un fragmento que sobrevivió a la destrucción de la mayor parte de la obra. Un ejemplo conocidísimo es el de *Roncesvalles*, poema épico del cual se han conservado tan sólo cien versos; menos conocido es el caso del *Cancionero de El Escorial*, del cual existen sólo ocho hojas que contienen diez poesías[6]. Pero no se sabe siempre si se trata de un fragmento o de una obra que el autor abandonó, ni si una poesía lírica es completa (caso de las jarchas y de varios villancicos).

b. Alusiones del autor mismo en otras obras suyas. Todos sabemos que Juan Manuel incluye, en las listas que da en las dos versiones del *Prólogo general*, el *Libro de los engeños* (o sea, de las máquinas de guerra), el *Libro de la cavallería*, el *Libro de los sabios*, las *Reglas de trovar*, y el *Libro de los cantares / de las cantigas*. Hay una lista parecida en la nota final al *Universal vocabulario* de Alfonso de Palencia, donde se refiere, por ejemplo, a *La antigüedad de la gente española*, a *La verdadera sufficiencia de los cabdillos y de los embaxadores*, y a *La vida del bienaventurado Sant Alfonso, arçobispo de Toledo*. En el siglo XV también, fray Lope Fernández de Minaya dice, en el cap. 3 de su *Tratado breve de penitencia:*

> E non vos escribo mas perlongadamente de la penitencia, porque en el otro *Libro de la confesión* que fize trasladar, están mas complidamente las razones que mueven a hombre a contrición e las maneras del confesar e las maneras de satisfación e enmienda. (Rubio 1964: 266-67)

Así conocemos no sólo el título de la obra sino también algo del contenido y de la estructura.

c. Alusiones de otros autores. Un ejemplo de gran interés es el del *Herético libelo*, conocido gracias a la contestación de Hernando de Talavera ya comentada;

[6] No doy en esta sección los datos bibliográficos que corresponden a las obras perdidas que se mencionan, porque ocuparía demasiado espacio. Se hallarán, desde luego, en las fichas correspondientes del catálogo.

gran parte de la argumentación de la obra perdida sobrevive a través de la obra que trataba de destruirla:

> me moví a impugnar, contradecir y extirpar las herejías y falsedades contenidas en un libelo herético, maldito y descomulgado, que en estos días fue hallado en la muy noble ciudad de Sevilla, no con presunción de más suficiente para ello que otros, mas porque en alguna manera el dicho libelo se hizo contra los sermones, que en el año de mil cuatrocientos y setenta y ocho hice en la dicha ciudad [...] (Márquez Villanueva & Martín Hernández 1961: 68)

> Calló este malvado hereje su nombre en el prólogo de su malvado libelo [...], mas es de creer que no se osó nombrar, porque el mismo dice abajo que temió de la rusticidad, etc. [...] Dice este malvado que quiso sanamente entender y especular la raíz de la ley dicha cristiana [...] (pp. 74-75)

Lorenzo Galíndez de Carvajal, en el prólogo a sus *Anales breves del reinado de los Reyes Católicos*, da una lista de otros cronistas del reinado:

> se presupone que la corónica del Rey y Reina Católicos parte de ella fue copilada por cinco autores. El uno fue Hernando del Pulgar [...] El otro fue Tristán de Silva, vecino de Ciudad Rodrigo, que escribió poco, y de ello ninguna cosa se puso en esta corónica. El tercero fue un Flórez, vecino de la ciudad de Salamanca, familiar del duque de Alba, que escribió lo de Toro y Zamora [...] El cuarto fue Hernando de Ribera, vecino de Baza, que escribió la guerra de Granada en metro. El quinto autor fue Alonso de Palencia, digno coronista [...] (Floranes Robles y Encinas 1851: 342-44)

El primero y el último son historiadores muy conocidos; sus crónicas se conservan en varios manuscritos y, en el caso de Pulgar, en una edición temprana. Galíndez de Carvajal da bastantes pormenores sobre Hernando de Ribera y su crónica en verso. Ésta, tanto como la breve obra histórica de Tristán de Silva, se ha perdido, y aunque Alonso Flórez se ha identificado recientemente como Juan de Flores, autor de ficción sentimental, y se le ha atribuido, con buenas razones, la *Crónica incompleta de los Reyes Católicos*, no es seguro que ésta represente "lo de Toro y Zamora"[7]. Otro caso es el del *Libro del grande Alexandre rey de Grecia* (una refundición de la historia de Alejandro incluida en los *Bocados de oro*). Aunque el *Libro* se perdió, su título, con tres cuentos, se conserva en el *Cancionero de Martínez de Burgos*, y hay mucho más en el *Libro de las bienandanzas y fortunas* de Lope García de Salazar, el cual da el título alternativo de *Grande ystoria del noble Alexandre emperador de Grecia*. Más problemáticas son las alusiones en el *Libro del cavallero Zifar* a "la estoria de Belmonte" (cap. 210) y "el libro de la estoria de don Yván" (cap. 206). Alfonso de Palencia, en cambio, describe sin dejar lugar a dudas las canciones satíricas sobre el primer matrimonio de Enrique IV: "Rhymi demum et audaciora vulgabantur carmina curialium irritam copulam irridentium assignantiumque veriorem facilitatem coitus, quibus cum conmiscebatur Henricus" (*Décadas* I.1); Alonso Ortiz incluye en su *Tratado contra la carta del prothonotario de Lucena* fragmentos de la carta a los Reyes Católicos escrita por Juan de Lucena, sobre los procedimientos de la Inquisición; y el *Cancionero de Palacio* incluye respuestas de Juan de Villalpando, Mosén Moncayo, Juan de Tapia, Alfonso Enríquez y Mosén Marmolejo a una poesía perdida de Francisco de Villalpando.

[7] Para la identificación de Juan de Flores como cronista, véanse las investigaciones simultáneas e independientes de Carmen PARRILLA (1989) y de Joseph J. GWARA (1986-87). Es muy probable que Tristán de Silva, de Ciudad Rodrigo, en un documento del 15 de febrero de 1494, sea el cronista mencionado por Galíndez de Carvajal. El mismo nombre está en dos documentos más, del 13 de febrero de 1477 y del 19 de agosto de 1490; en el segundo, Tristán de Silva aparece como deudor. Es imposible saber si estos documentos se refieren a Tristán de Silva de Ciudad Rodrigo. Véase HOOK 1993b: 70-72 (docs. 33, 5 y 25). Agradezco al prof. Hook el haber atraído mi atención sobre los documentos.

d. Un caso especial de alusiones de otros autores es el poema de cancionero que cita textualmente otras poesías[8]. Los cancioneros anteriores a 1465 atestiguan de este modo la existencia de casi setenta poesías cuyos textos completos se han perdido. No es siempre seguro que las citas sean auténticas, y a veces parece probable que se trate de una superchería. En otros casos, sin embargo, citas de poesías todavía existentes parecen confirmar con más o menos seguridad la autenticidad de las demás, como por ejemplo en dos casos límites. Guevara, "Recontar si mal sentí" (*Cancionero general* de 1511 y *Cancionero del British Museum*) incluye nueve citas, de las cuales se sabía que ocho provinieron de poesías existentes, de modo que la novena parecía casi seguramente auténtica; ahora se ha localizado. En el extremo opuesto, Costana, "Al tiempo que se lebanta" (*Cancionero del British Museum*), incluye quince citas, una de las cuales es de una poesía existente de Juan Rodríguez del Padrón, y por lo tanto hay al menos una seria posibilidad de que las otras catorce sean auténticas (la versión impresa en el *Cancionero general* tiene menos citas).

e. A veces existe una traducción de una obra cuyo original castellano se ha perdido, como en dos obras alfonsíes de origen árabe. Un compendio astronómico de Ibn al-Haitam fue traducido al castellano hacia 1270 por el Magister Abraham, médico del rey; la versión castellana se perdió, pero existe el *Liber de mundo et coelo*, la versión latina basada en ella. De modo parecido, se perdió la *Escala de Mahoma*, pero tenemos la versión francesa basada en ella, el *Livre de l'eschiele Mahomet*. (En este caso tenemos un resumen del texto castellano, con muchas citas textuales, en una obra

[8] Me apoyo en los datos que generosamente me proporcionaron mi colega la Dra. Jane Whetnall y mi llorado amigo Brian Dutton.

atribuida al hoy problemático San Pedro Pascual —véase Riera i Sans 1986—, *Sobre la seta mahometana.*)

f. Catálogos de bibliotecas, inventarios de donaciones, testamentos, y documentos parecidos (principalmente medievales y de los siglos XVI y XVII; el libro de Charles B. Faulhaber (1987) es un recurso imprescindible para localizar catálogos de bibliotecas medievales). El inventario de la biblioteca de Dom Pedro de Portugal (1466) incluye "un libre [...] en vulgar castellá [...] apellat Ovidi *Metamorfoseos*". Esta versión de la obra ovidiana, tal vez traducida por el príncipe Carlos de Viana, ha desaparecido, igual que "Un libre apellat *Rimas sobre la presó de Malorques*, en castellá", cuyas primeras y últimas palabras, además del título, se conservan en el inventario de la biblioteca de Martí I de Aragón (1410); parece que el poema, en cuaderna vía, fue compuesto en aragonés hacia fines del siglo XIII (el redactor del inventario no distingue entre el castellano y el aragonés). Siete años después del inventario de la biblioteca de Martí I fue inventariada la de Alfons el Magnánimo, que incluyó "i. libre [...] en lengua castellana [...] appellat liber primus compilacionis *decretalium*"; de nuevo se citan las primeras y últimas palabras. La biblioteca de Fernando Díaz de Toledo, arcediano de Niebla, que se guardaba en el monasterio de Guadalupe, incluyó en 1452 "un libro de [¿en?] romance de questiones". Es posible que se trate de un texto médico, ya que el libro siguiente es médico, pero es también posible que se relacione con una frase de los *Proverbios de Séneca*, traducidos por Pero Díaz de Toledo, pariente del arcediano: "E por esso dezía Seneca en el libro segundo de *Las naturales quistiones*". La biblioteca de Isabel la Católica contuvo varias obras hoy perdidas: once fichas del inventario se refieren probablemente a versiones castellanas de tratados de Leonardo Bruni (una traducción de sus cartas, también en el inventario, existe todavía). Otra obra perdida de la biblioteca de la reina es el *Regimiento de la casa que hizo Bernaldo*, traducción de la *Epistola de cura rei familiaris ad Raymundum militem* (un tratado sobre la economía doméstica). Es también posible que libros registrados en los catálogos modernos —por ejemplo, el de la biblioteca del Marqués de Laurencín, de 1927— se pierdan[9].

g. Manuscritos incompletos, de los cuales se perdió una obra (o más), tienen a veces índices que nos revelan lo que se ha perdido. 22 villancicos que constan en el índice original del *Cancionero musical de Palacio* ya no están en el códice ni en ningún otro cancionero. El ms. 1877 de la Biblioteca Universitaria de Salamanca tiene dos índices al final. El primero empieza: "En este libro son copilados onze tratados. El primero se llama libro del arra del ánima de cómmo se rrazona el cuerpo con el ánima, e el ánima con el cuerpo e aun es llamado diálogo." Existe hoy un *De arra de ánima* en catalán, de Antoni Canals, pero el texto castellano es desconocido. Ocupó 22 hojas, y es seguro que estuvo en el códice del cual se copió el ms. 1877. El índice continúa: "El segundo de la vida de Sant Macario e de Sergio e Alchino en cómmo fueron ver su santa vida a una cueva cerca el paraýso terrenal"; esta obra, de 11 hojas, también se perdió. Una tercera pérdida, la del *Libro de Túngano* (que también está en el inventario de la biblioteca de Isabel la Católica), se puede subsanar con un fragmento manuscrito descubierto por John K. Walsh (véase por ahora Walsh & Thompson 1985).

h. Libros de cuentas, que no parecen a primera vista muy fructíferos como fuentes de información, pueden en efecto serlo. El caso más notable es el de la Catedral de

[9] El único ejemplar conocido de la *Égloga interlocutoria* de Diego Guillén de Ávila (Alcalá: Stanislao Polono, [h. 1502-04]), estaba en la biblioteca del Marqués de Laurencín hasta 1927 y no se sabía nada más de él. Después de una larga búsqueda, Víctor Infantes lo localizó en manos de un bibliófilo anónimo, pero mientras preparaba un artículo sobre la cuestión el libro fue vendido otra vez a un comprador desconocido (INFANTES 1989).

Toledo, cuyos libros de cuentas nos revelan —además del texto de un *Auto de la Pasión* antes totalmente desconocido— diez líneas de un *Auto de los Santos Padres*, el guión de un *Auto del emperador* (los dos perdidos), y títulos y fechas de 14 piezas teatrales más, de fines del siglo XV y principios del XVI. La ciudad de Sevilla encargó a Juan Guillén la *Corónica de los fechos que los cavalleros e rregidores e otras algunas personas desta cibdat fizieron quando el infante don Enrique veno para la tomar*, y la obra se menciona en las cuentas de los años 1445 y 1447 (los acontecimientos son de 1444), pero en 1447 el manuscrito ya no estaba en Sevilla: "Este Juan Guillén fue al Rey a le levar esta corónica e dis que la dexó en su poder", y son las últimas noticias que tenemos.

i. Los bibliófilos, del siglo XVI en adelante —Gonzalo Argote de Molina en el siglo XVI, Nicolás Antonio en el XVII, Bartolomé José Gallardo en el XIX, y muchos otros— constituyen una fuente de importancia excepcional, a causa del número de pérdidas relativamente recientes. También tienen bastante importancia los historiadores, sobre todo de los siglos XVI y XVII, que citan a menudo obras históricas de la Edad Media: por ejemplo, los *Anales del reino de Aragón*, de Martín García, se citan en Dormer, *Progresos de la historia en la Corona de Aragón* (1682). Nicolás Antonio, *Bibliotheca hispana vetus*, cita una "breve obra de los fechos de Medea", de Alfonso Fernández de Madrigal, el Tostado. A Latassa, *Biblioteca de los escritores aragoneses*, debemos la noticia de los *Milagros del famoso santuario de San Miguel de Excelsis*, de Carlos, Príncipe de Viana; y a la *Historia crítica*, de Amador de los Ríos, una descripción de *Las ystorias de Roma de Paulo Eurosio*, una traducción hecha en 1439 por Alonso Gómez de Zamora, para el Marqués de Santillana (Gómez de Zamora no tradujo directamente la obra de Orosio, sino que se basó en una traducción aragonesa de una versión italiana del original latino).

j. Las prosificaciones y resúmenes de poemas épicos en las crónicas medievales, tanto vernáculas como latinas, son tan conocidos que no es necesario dar ejemplos.

k. Se ha comprobado recientemente que los artefactos pueden proporcionarnos datos sobre el *Poema de Fernán González:* se han descubierto quince versos en una teja (Hernando Pérez 1986), y se ha interpretado la iconografía de un tejido (Marcos Marín 1986). Es posible que en el futuro se produzcan nuevos descubrimientos que nos revelen datos sobre obras perdidas.

l. Lo que sabemos de la vida de un autor puede proporcionarnos indicaciones de obras perdidas. Si alguien es nombrado cronista real, es razonable suponer que habrá redactado, o al menos empezado, una crónica (nótense, sin embargo, las dudas de Michel Garcia 1992: 60). Es igualmente razonable suponer que un obispo habrá predicado, y con sermones suyos, en vez de utilizar únicamente los de otros predicadores. En ambos casos, si no existe un texto de una crónica ni de un sermón, hay que suponer que al menos una obra se habrá perdido.

4. Criterios para un catálogo

Los criterios para incluir o excluir un dato determinado en la redacción de un catálogo de la literatura perdida tienen que ser en cierto sentido arbitrarios, y soy muy consciente de que mis criterios no son los que habrían adoptado otros investigadores. Incluyo, desde luego, obras en castellano y en cualquier dialecto del español (leonés, aragonés, navarro, mozárabe), pero, por razones prácticas —no tengo los conocimientos necesarios—, el catálogo no abarca la literatura perdida de las otras lenguas literarias de la Península Ibérica en la Edad Media: portugués, gallego, catalán, provenzal, latín, árabe, hebreo. Es de esperar que otros investigadores se ocupen de catalogar las obras perdidas en dichos idiomas. Sin embargo, si un autor de obras castellanas (o aragonesas, etcétera) escribió también en latín, en catalán, o en cualquier otro idioma, incluyo sus obras perdidas en ese idioma para dar una idea de su actividad literaria total.

La frontera cronológica es igualmente arbitraria, y tiene parecida excepción: incluyo obras escritas antes de 1501, y además obras posteriores de un autor cuya actividad literaria empezara en el siglo XV. Incluyo también cancioneros del siglo XVI cuyo contenido es principalmente medieval.

En cuanto al concepto de "literatura", sigo los criterios de la mayoría de los hispanomedievalistas de nuestros días: incluyo obras científicas, médicas, jurídicas, filosóficas, etcétera, además de géneros efímeros (la canción popular, refranes, cartas, discursos, sermones, panfletos), por razones tan obvias que sólo es necesario recordar una: la presencia en textos jurídicos de *exempla*. Excluyo, en cambio, documentos (donaciones, privilegios, mandatos reales) que carecen totalmente de características literarias.

Una cuestión muy difícil es la definición de "obra perdida". Todos estaríamos de acuerdo respecto a una obra de la cual existe nada más que una línea, y respecto a una obra que ha perdido sólo una línea: la primera tiene que entrar en el catálogo, la segunda no. Pero entre estos extremos, ¿qué hacer? Adopto un criterio arbitrario, ya que es imposible trabajar sin criterio: si tenemos menos de la mitad de una obra, entra en el catálogo; si tenemos más de la mitad, la excluyo. Menos mal que no hay, según creo, ninguna obra que haya perdido exactamente la mitad del texto. Una cuestión afín es qué constituye una obra. Incluyo versiones perdidas de obras existentes si parece que fueron muy distintas. Pero, ¿dónde debemos establecer la frontera? Y ¿cómo sabremos el grado de diferencia de un texto perdido? Cuando hablé del proyecto de catálogo en el congreso de los hispanistas británicos en 1977, varios colegas me animaron a incluir todo manuscrito o incunable perdido, pero resultaría así un catálogo tan distinto del proyectado que no me parece aconsejable; sería mejor ampliar en este sentido la *Bibliography of Old Spanish Texts*, que ya tiene muchas fichas de ediciones y códices perdidos.

Tal vez el problema más difícil en cuanto a los criterios de inclusión sea el de la interpretación de los datos, problema que alcanza su mayor intensidad en el estudio de la poesía épica. Si incluyera en el catálogo, con su propio número de identificación, todo poema épico cuya existencia haya sido sostenida por algún investigador, reforzaría en la mente de muchos lectores la idea errónea de que ha existido efectivamente tal poema. (Los hispanomedievalistas actuales de España suelen ser mucho más escépticos que sus predecesores en cuanto a muchos textos hipotéticos: por ejemplo, después de enumerar once de ellos, Carlos Alvar dice que "las crónicas sólo dejan traslucir leyendas eclesiásticas o cultas y motivos folklóricos en la mayor parte de éstos" (Alvar & Gómez Redondo 1988: 64).) Por lo tanto, incluyo en el cuerpo del catálogo los poemas que, en mi opinión, existieron o tienen buena posibilidad de haber existido. No es razonable, en cambio, suprimir toda mención de los poemas hipotéticos, de cuya existencia no estoy nada convencido. Creo haber solucionado el problema al incluirlos, con la bibliografía y el comentario correspondientes, en una sección preliminar. Aunque el problema es más serio en la épica, y suele provocar allí las discusiones más animadas, existe en todos los géneros, y adopto la misma solución a lo largo del catálogo. Sé muy bien que esto implica una decisión a veces arbitraria, y que lo que es para mí una obra meramente hipotética, con muy poca posibilidad de haber existido, será para otro investigador una obra que casi seguramente existió. Sé también —es la desventaja más seria de mi método— que la división entre obras hipotéticas mencionadas en la sección preliminar y obras que van numeradas en el catálogo da la impresión de que todo es blanco o negro, cuando en la realidad sólo hay matices de gris. Pero no hay más remedio.

5. Problemas de redacción de fichas

a. ¿Cómo conoceremos la lengua de una obra perdida si no conservamos ni el más pequeño fragmento? El problema de los títulos de obras medievales es conocidísimo, y aun en los casos no muy frecuentes en los cuales tenemos un título autorial de una obra perdida, no hay garantía de que el título esté en la lengua de la obra misma (compárese la *Confessio amantis*, de John Gower, poema enteramente en inglés). Lo que parece ser la lengua del título puede depender de la lengua en la que se alude a la obra: el locus classicus es el de la lista de las obras de Alfonso de Palencia que encontramos tanto en la versión castellana como en la versión latina de la nota a su *Universal vocabulario*.

b. Otro problema ocasionado por los títulos proteicos de obras medievales es que un texto perdido puede representar una obra existente bajo otro título. Por ejemplo, la biblioteca de Isabel la Católica contenía "otro libro [...] en romance que es la ystoria de Hércoles", pero es imposible decidir si se trata de *Los doze trabajos de Hércules*, de Enrique de Villena, o del *Libro de los travajos de Hércules* de la biblioteca del Conde de Haro, o de una tercera obra de la cual no tenemos ningún otro vestigio.

c. Muchas fichas de inventarios son tan vagas en cuanto al contenido (aunque a menudo dan pormenores del aspecto físico del códice) que no nos sirven para nada: "otro libro en romance", "un libro de marca mayor en pergamino, con las armas del duque".

d. A veces es difícil saber si una alusión se refiere a una obra específica o al área de interés del autor: Juan Manuel dice, en el prólogo al *Libro de la caza*, que Alfonso el Sabio "fizo trasladar en este lenguaje de Castiella todas las sciencias, tan bien de theología commo la lógica, et todas las siete artes liberales, commo toda la arte que dizen mecánica".

e. Una lista redactada por el propio autor puede serlo de obras ya escritas, o de las proyectadas, o de una mezcla de las dos categorías, y los autores no suelen distinguir. Alfonso de Palencia sí distingue, aludiendo a sus proyectos al final de la lista de las ya escritas, pero no sabemos si los proyectos se realizaron después.

f. Hay fantasmas bibliográficos, creados por el error de un bibliófilo o de un investigador. El ejemplo 23 del *Libro de los gatos* dice que "de aquel osso cuenta en el libro de ose, commo la osa perdiera sus fijos". La palabra "ose" se leyó mal, como "oso", y Hermann Knust la explicó (1865: 16, 125 & 130) como alusión a un *Libro del oso* perdido, de un grupo de libros dedicados a cuentos de varios animales y de los cuales sólo sobrevivió el *Libro de los gatos*, pero se trata en realidad de una alusión (tomada de Odo de Cheriton) al libro de Osé (Hosea), del Antiguo Testamento, como demuestra George Tyler Northup (1905). (El *Libro de los gatos*, por otra parte, no trata el tema de los gatos.) Puede ser peligroso, sin embargo, suponer que un investigador creó un fantasma: los traductores de la *Historia de la literatura española*, de Ticknor, dijeron a mediados del siglo XIX que había en la Biblioteca Colombina varias obras de Juan de Flores, entre las que se contaban la *Historia de Luzmán y Arbolea* y el *Triumpho de Amor* (Gayangos & Vedia 1854: 546). Aquélla es una obra de Jerónimo de Contreras, impresa por primera vez en 1565, y fue natural suponer que el *Triumpho de Amor* era en efecto una de las cuatro traducciones de los *Trionfi* de Petrarca realizadas en el siglo XVI, pero Gayangos y Vedia tenían razón: se trata de una obra auténtica de Juan de Flores, y ahora se conocen dos manuscritos, uno de ellos en la Colombina (véase Gargano 1981).

g. ¿Hasta qué punto podemos confiar en comparaciones entre una obra española que está incompleta y su fuente latina, francesa, etcétera? La *Disputa del alma y el cuerpo* de hacia 1200 está incompleta: el manuscrito único contiene 74 versos, que corresponden a 105 versos de su fuente francesa, "Un samedi par nuit". Si el poeta castellano terminó su obra, y la proporción entre fuente y adaptación castellana quedó constante, la *Disputa* habría tenido unos 830 versos, de modo que el texto existente representaría sólo el nueve por ciento del poema. Pero, ¿es razonable suponer una proporción constante?

h. ¿Es que los informes que tenemos de procesiones y festividades cortesanas se refieren meramente a espectáculos, mimos, cuadros sin diálogo, o se refieren a verdaderas representaciones dramáticas?

i. La literatura oral nos ocasiona problemas especiales. Albert B. Lord nos ha revelado que en la composición oral de la épica cada presentación difiere de las otras, aun si el poeta/cantor cree que se repite exactamente[10]. Si cada presentación es en efecto una obra distinta, hemos perdido no sólo dos versiones distintas de los *Siete infantes de Lara* sino centenares o millares de versiones. Aun cuando nos restringimos a las versiones resumidas o prosificadas en las crónicas, es dificilísimo decidir qué variantes provienen de una versión distinta del poema épico, y cuáles son adaptaciones individuales del cronista.

[10] LORD 1960. Sorprende que no haya todavía una traducción española de este libro fundamental. Una investigación reciente indica la posibilidad de que la teoría elaborada por Lord y su maestro Milman Parry adolezca de defectos metodológicos, y de que, por lo tanto, haya que proceder con gran cautela al aplicarla a la épica medieval: véase SICROFF 1988. Comento esta cuestión en el apartado *Aa*, infra.

6. El catálogo

Al empezar el proyecto, pensaba en un catálogo sencillo, con fichas muy breves, pero desde hace mucho tiempo soy consciente de que no puede resultar nada sencillo. R.M. Wilson escogió una forma narrativa para su clásico estudio de la literatura perdida de la Inglaterra medieval, y mi libro tiene que ser en parte narrativo, pero su estructura esencial es la de un catálogo. Valdría la pena incluir en un catálogo de este tipo ediciones de alusiones a obras perdidas y de fragmentos existentes de ellas, siempre que no sean largos o fácilmente asequibles en libros modernos (sería absurdo, por ejemplo, incluir los cien versos existentes de *Roncesvalles*, que tenemos en las excelentes ediciones de Ramón Menendez Pidal, Jules Horrent e Ian Michael). El lector encontrará en este catálogo muchos textos de fragmentos y de alusiones a obras perdidas, pero ni el espacio disponible en éste y los restantes tomos ni el tiempo disponible para redactarlos me permite incluir textos extensos con el *apparatus criticus* correspondiente, basados en análisis de manuscritos y de impresos tempranos. Es posible que una edición futura se amplíe de esta manera, aproximándose a un proyecto muy borgiano, una edición crítica de la literatura perdida.

La organización del catálogo es genérica, terminando con una sección de obras de género desconocido (como la *Oriflama* de Juan Rodríguez del Padrón, de la cual sabemos sólo que el autor la dejó inacabada en Padua). En cada tomo hay varios índices de autores y obras, de investigadores, etcétera, más una bibliografía (pero, desde luego, no ofrezco una bibliografía completa, sobre todo para las obras más estudiadas, como los *Siete infantes de Lara*). En cada entrada doy en forma abreviada (por ejemplo, Cátedra 1985: 61-62) las referencias fundamentales a ediciones y estudios; la ficha completa se hallará en la Bibliografía al final de cada tomo.

La lengua del libro es el castellano, aunque las versiones preliminares se redactaron en inglés. La razón es obvia: el catálogo tentativo y sus suplementos se dirigieron principalmente a mis colegas británicos, y luego a los norteamericanos, pero el desarrollo magnífico del nuevo hispanomedievalismo de España exige nuevas perspectivas. Perderé algo al dificultar la comunicación con medievalistas no hispanistas de habla inglesa, pero las ventajas de utilizar el castellano son tantas que no se pueden pasar por alto.

Hay que tener en cuenta que un catálogo de este tipo caducará pronto, al encontrarse en las bibliotecas y archivos de España obras que se habían creído perdidas, y al descubrirse, en el curso de otras investigaciones, nuevos indicios de obras perdidas. Repito lo que dije al principio: el mejoramiento del catálogo dependerá en gran parte de la aportación de los hispanomedievalistas de España.

A. ÉPICA

Aa. Épica tradicional

Ab. Épica literaria; traducciones

Aa. ÉPICA TRADICIONAL

NINGÚN CAPÍTULO DE UN CATÁLOGO de la literatura perdida es fácil, pero el de la épica tradicional es dificilísimo, a causa del desacuerdo entre los investigadores en cuanto a la existencia o inexistencia de poemas épicos, ahora perdidos, sobre muchos temas, y en cuanto al número de versiones de cada poema. Hay muchos casos dudosos en otras tradiciones épicas, por ejemplo la anglosajona (véase Wilson 1970: cap. 1), y hay discusiones animadas entre los especialistas, pero, según creo, el desacuerdo entre los investigadores de la épica medieval hispánica es mucho más frecuente y mucho más fundamental. Los hay que sostienen que hubo gran número de poemas épicos, y que muchos de ellos existieron no en un par de versiones sino en una multitud que empieza, en algunos casos, en la España visigoda, y que sigue hasta fines del siglo XV con la creación de nuevas versiones. Los hay, en cambio, que reciben con un escepticismo casi absoluto cualquier indicio de que haya existido un poema épico del cual no tenemos un texto en verso o en una prosificación extensa. Para estos investigadores la época creadora de la epopeya hispánica no duró casi un milenio, sino un par de siglos; además, atribuyen las diferencias entre prosificaciones y alusiones cronísticas (o entre romances sobre un tema determinado) a cambios originados de propósito por los cronistas o los poetas de romances, no al empleo de versiones distintas de un poema épico. Y, desde luego, hay muchos investigadores que ocupan posiciones intermedias entre los dos extremos. Una reseña completa del debate, con la bibliografía correspondiente, necesitaría un libro entero. Por lo tanto, varios trabajos que eran fundamentales en su día, pero que quedan reemplazados por trabajos posteriores, no se comentan ni se incluyen en la bibliografía.

Se suele aplicar a un grupo de investigadores la etiqueta "neotradicionalista", y a otro grupo la de "individualista". La gran diferencia entre las dos etiquetas es que aquélla es escogida por los investigadores que son conscientes de pertenecer a un grupo más o menos definido, mientras que ésta es término peyorativo, aplicado por los que se denominan neotradicionalistas para definir a los que no están de acuerdo con ellos. Metodológicamente, esto es inaceptable. En la práctica, la situación es que hay muchos investigadores que se conforman más o menos con los fundamentos del neotradicionalismo según los define Ramón Menéndez Pidal (Menéndez Pidal et al. 1951: vii-xiii; Menéndez Pidal 1956b, 1957: caps. 13-14, y 1960: cap. 11). Las doctrinas fundamentales se pueden resumir así:

1. La epopeya castellana arranca de la visigoda, y antes, por lo tanto, de la más antigua poesía heroica germánica.
2. En los siglos que anteceden a los primeros textos existentes la epopeya vive en estado latente, análogo al de las palabras prerrománicas que aparecen documentadas sólo hacia fines de la Edad Media.
3. Los poemas nacieron al calor de los acontecimientos.
4. La primera versión de un poema refleja la realidad histórica, y los elementos ficticios son en su mayor parte obra de refundidores tardíos.
5. La epopeya vive en variantes y refundiciones a través de los siglos y de los géneros.
6. Los poemas son anónimos, no por casualidad sino por su naturaleza misma, aunque esto no excluye el concepto de un poeta individual, autor de la primera versión.
7. Los poetas eran juglares laicos, sin interés por los asuntos eclesiásticos; si éstos se manifiestan en los textos, se trata de una interpolación tardía.

No hay solidaridad comparable entre los que discrepan de la teoría neotradicionalista, o de algunas de las hipótesis que la componen. Son frecuentes las alusiones a la "escuela británica", vista como implacable y ciegamente opuesta al neotradicionalismo. Ya comenté este error (Deyermond 1986-87). En efecto, hay pocos investigadores dispuestos a negar todas las hipótesis: la segunda y la quinta son generalmente aceptadas, mientras que la primera y la cuarta casi no tienen partidarios fuera del círculo de los que se proclaman neotradicionalistas. El que hoy se aleja más de dicha teoría es probablemente Colin Smith (1985a), aunque su artículo más reciente (1994) matiza algunas de sus opiniones. Comentando el original inglés de su famoso libro, dije:

> Smith takes an extreme position —as extreme, in its way, as that of another great epic scholar, Menéndez Pidal. I do not intend "extreme" as a term of abuse, but as a technical description. Menéndez Pidal construed any piece of evidence (or even its absence) in the way most favourable to his hypothesis of an epic tradition continuous from Visigothic times. Smith uses the same procedure for the opposite purpose, as may be clearly seen from two phrases he uses on p. 29 [1985a: 43]: "there is no need to suppose a vernacular poem of the twelfth century", and "the existence of a short Latin poem [...] cannot be ruled out". Either statement is, taken in isolation, wholly reasonable, but if they were transposed Smith would, I suspect, be the first to protest. (Deyermond 1985: 125)

Muy a menudo, la opinión de un investigador —de todos los investigadores—, que parece derivarse de los datos observados, precede a la observación e influye en la interpretación de los datos. No hablo de la mala fe: existe en el hispanomedievalismo, pero es poco común. Hablo de una tendencia casi inevitable: es humanamente imposible mantener a lo largo de los años una mente siempre abierta a todas las posibilidades. Por lo tanto, cuando hay dos o más maneras legítimas de interpretar un dato determinado (por ejemplo, una diferencia entre dos versiones cronísticas de un poema épico), un investigador lo interpretará de una manera, otro de otra manera, y será imposible demostrar de modo concluyente que uno tiene razón y otro no. La gama de interpretaciones legítimas es amplia, y he tratado de respetarla al escoger las entradas para esta parte del catálogo. Entre las 29 entradas hay varias que representan nada más que la posible existencia de un poema épico; una posibilidad defendible, claro, pero nada más, y en algunos de estos casos me parece más probable que no existiera tal poema.

Dos de las muchas controversias sobre la épica hispánica afectan intensamente al cálculo del número de poemas perdidos: la cuestión de la composición oral, y la de la prosificación cronística. Las investigaciones de Milman Parry y Albert Lord en Yugoeslavia en los años treinta influyeron profundamente —aunque después de un intervalo de dos o tres décadas— en el estudio de la épica medieval europea, gracias principalmente al libro de Lord (1960), con su sugerente capítulo 10, "Some Notes on Medieval Epic"[1]. El concepto de la composición oral, en la cual cada presentación de un canto épico es la creación de un nuevo poema, obligó a muchos medievalistas a abandonar varios conceptos que habían sido fundamentales: por ejemplo, los de un texto original y de variantes posteriores:

> The truth of the matter is that our concept of "the original", of "the song", simply makes no sense in oral tradition. [...] The first singing in oral tradition does not coincide with this concept of the "original". [...] It follows, then, that we cannot correctly speak of a "variant", since there is no "original" to be varied! [...] But if we are pursuing a will-o'-the-wisp when we seek an original, we are deluded by a mirage when we try to construct an ideal form of any given song. If we take all the extant texts of the song of Smailagić Meho and from them extract all the common elements, we have constructed something that never existed in reality or even in the mind of any of the singers of that song. (Lord 1960: 101)

[1] La base del libro es la tesis doctoral que Lord leyó en Harvard en 1949. No he visto la tesis, y por lo tanto no sé hasta qué punto se cambió antes de publicarse.

Y lo mismo se puede decir de las presentaciones de un solo cantor:

> We are more aware of change than the singer is, because we have a concept of the fixity of a performance [...]. We think of change in content and in wording; for, to us, at some moment both wording and content have been established. To the singer the song, which cannot be changed (since to change it would, in his mind, be to tell an untrue story or to falsify history), is the essence of the story itself. His idea of stability, to which he is deeply devoted, does not include the wording, which to him has never been fixed, nor the unessential parts of the story. He builds his performance, or song in our sense, on the stable skeleton of narrative, which is the song in his sense. (Lord 1960: 99)

Si suponemos que la épica medieval hispánica se pareció mucho a la yugoeslava del siglo XX, y si aplicamos a su estudio las conclusiones de Lord, tendremos que aceptar que hubo un número casi increíble de poemas épicos en la España medieval: un cálculo basado en supuestos muy conservadores llegará a siete millones de poemas perdidos[2].

No es necesario, sin embargo, suponer una semejanza estrecha entre la épica medieval y la yugoeslava de hace medio siglo, y tampoco es necesario aceptar todas las conclusiones del libro de Lord. Hubo muchos que las aceptaron en los primeros años después de la publicación del libro (por ejemplo, Aguirre 1968), y algunos investigadores excelentes siguen aceptando la mayoría de ellas (por ejemplo, Duggan 1989 —véase, sin embargo, el trabajo comentado en la

[2] Los supuestos son:

20 narrativas básicas, cantadas por cada juglar una vez el mes.
Un promedio de 300 años de vida para cada narrativa básica.
100 juglares a la vez en la Península Ibérica.
Un promedio de 25 años de actividad para cada juglar.

En los 300 años de vida de una narrativa, sería cantada 100 veces cada mes, o 1.200 veces cada año, llegando a 360.000 veces —360.000 presentaciones, o sea, 360.000 poemas distintos en nuestro sentido de "poema"— antes de extinguirse. Con 20 narrativas básicas, llegamos a 7.200.000 representaciones (o poemas) épicos.

nota 5, infra)—. Las ideas del mismo Lord evolucionaron, sin embargo, y su último libro (1991) es bastante distinto del de treinta años antes: por ejemplo, concede un papel importante al texto transicional (es decir, el que tiene unos elementos de oralidad y otros de escritura), concepto que había rechazado tajantemente en 1960. La tesis doctoral de Seth Sicroff (1988) pone reparos metodológicos a la teoría Parry-Lord, y sobre todo al empleo de la teoría como recurso comparativo[3].

En cuanto a la épica hispánica, las investigaciones de John S. Miletich, especialista tanto en la poesía eslávica como en la medieval hispánica, demuestran que los textos existentes de ésta no corresponden a los cantos estudiados por Parry y Lord, sino a poemas yugoeslavos de autoría culta que utilizan las técnicas de la tradición oral (Miletich 1981, 1986 y 1988). Me parece seguro —a pesar de la argumentación de Smith (1985)— que la épica hispánica empezó con una larga etapa de composición oral, pero aun así no es necesario suponer una identidad de técnica con la épica yugoeslava. En uno de sus últimos trabajos, Menéndez Pidal, en una pronta respuesta (1965-66) al libro de Lord, comentó tanto las semejanzas como las diferencias entre las dos tradiciones y sus implicaciones para la investigación[4]. Nunca sabremos cuánta creación y cuánta memorización hubo en la épica oral hispánica de los siglos XI-XIV, pero es muy posible que hubiera un elemento más notable de memoria. Aun en la épica yugoeslava puede haber cierta estabilidad:

> Although Makić's and Zogić's versions of the same song differ considerably, Zogić's version itself changes little in the course of years. It was my good fortune to record this song from him seventeen years later, and it is remarkably

[3] Desgraciadamente, los intereses científicos de Sicroff han cambiado radicalmente, y ya no piensa publicar su importantísima tesis, de modo que no se producirá el debate metodológico que necesitamos.

[4] Entre varios trabajos sobre la dificultad de aplicar la teoría oralista a la épica medieval hispánica, destaco dos recientes: SMITH 1987b y MONTANER FRUTOS 1989a.

> close to the earlier version, though hardly word for word. It even still contains a glaring inconsistency in the story which was not in Makić's version. (Lord 1960: 28)

Las investigaciones sobre el romancero oral indican aun más estabilidad: evolución, sí, pero una memorización dominante que reduce notablemente la improvisación (Catalán 1970-71; Valenciano 1992)[5]. Por cierto, no es obligatorio aceptar que lo mismo pasó en la épica oral, pero dichas investigaciones refuerzan la impresión de que la épica hispánica medieval fue muy distinta de la yugoeslava moderna. Si es así, no hay que pensar en siete millones de poemas, sino en ¿setecientos? ¿setenta?

Esta cuestión se relaciona con la de las prosificaciones y resúmenes cronísticos. Hay casos en los cuales las versiones de una historia épica difieren tanto de una crónica a otra que es casi seguro que corresponden a dos versiones poéticas. En otros casos, las diferencias o son mínimas o se relacionan obviamente con los intereses (políticos, eclesiásticos, etcétera) de los cronistas. Pero entre estos extremos hay muchos casos dudosos, y la interpretación de los datos dependerá, como ya comenté, de la postura teórica del investigador. Por lo tanto, dos investigadores excelentes llegarán a conclusiones radicalmente opuestas sobre los mismos datos: para D.G. Pattison (1983) sólo las mayores diferencias pueden indicar la utilización de dos versiones poéticas distintas, mientras que Samuel G. Armistead (1986-87b), reconociendo que hay

[5] Vale la pena comparar estos artículos con el interesante estudio de Joseph J. DUGGAN (1989-90), sobre la literatura francesa del siglo XIII. DUGGAN contrasta el papel de la memoria en la composición oral con "vocal performance", en la cual "memory dominates the presentation, to the extent that one can no longer speak of improvisation, and the text is substantially the same with more or less minor changes from performance to performance" (1989-90: 49-50). Sigue, en un párrafo de gran importancia teórica:

> In practice, this distinction is difficult to apply as a dichotomy to literary works that circulated in medieval France, because individual performances were situated along a spectrum of which one end represents oral composition, the other vocal performance. Let us visualize it as an axis whose left extreme signals improvisation and whose right extreme signifies verbatim reproduction. (50)

diferencias que se deben a la iniciativa de los cronistas, ve en muchas otras diferencias la prueba de que un cronista utilizó una versión de un poema épico, y otro cronista, otra versión. Sabiendo mucho menos del asunto que Armistead o Pattison, me encuentro a medio camino entre sus opiniones[6]. Huelga decir que la hipótesis maximalista (basada en Lord 1960) del número de versiones orales refuerza la opinión de Armistead sobre las versiones cronísticas, mientras que la hipótesis minimalista refuerza la de Pattison (y a la inversa).

He tratado de adaptar el formato del catálogo a esta gama de hipótesis, asignando entradas a las versiones que me parecen seguras y muy distintas (por ejemplo, las dos principales del *Cantar de Sancho II* o de los *Siete infantes de Lara*), y subentradas (Aa8.1, etcétera) a las posibles pero controvertidas.

Ya he explicado (pp. 38-39, supra) mis razones para excluir de las entradas del catálogo poemas épicos meramente hipotéticos, poemas que a mi juicio tienen muy poca posibilidad de haber existido. Los incluyo, en cambio, en esta sección preliminar. Hay dos grupos de textos hipotéticos: los relacionados con la España visigoda y la conquista islámica, y los misceláneos que no se relacionan con los ciclos de los Condes de Castilla y el Cid.

1. La España visigoda y la conquista islámica

Hace sesenta años Menéndez Pidal sostenía que una versión del *Waltharius* germánico

> sería uno de los *carmina maiorum* que san Isidoro señalaba como canto obligatorio para los nobles educandos de la España visigoda, y [...] viviría en estado latente durante toda la Edad Media, hasta que sirvió de guía al

[6] Para diversos aspectos de la prosificación de la épica en las crónicas, véanse Doutrepont 1939; Chaytor 1945: cap. 5; Gómez Redondo 1986-87; Keller 1992. José Miguel Caso González se muestra escéptico en cuanto a la prosificación de poemas épicos en la *Estoria de España*.

> primitivo romance juglaresco de Gualterio-Gaiferos. (1992: 290)

Las palabras citadas (sólo ahora publicadas) forman la conclusión de una sección de su historia de la épica (1992: 282-90; véase también 1945: 23-26); volvió a la cuestión al estudiar los romances de Gaiferos (1953: I, 286-300). Es verdad que este grupo bastante tardío de romances seudo-carolingios (véase Severin 1976) se relaciona con *Waltharius* (véanse también Armistead & Silverman 1987 y 1989; Armistead 1990), pero a través de textos franceses (Entwistle 1951: 177; Armistead 1990: 39). Se trata en efecto de una tradición europea muy difundida (Dronke 1977)[7]. No hay prueba alguna que apoye la hipótesis de un estado latente que pueda unir un *Waltharius* visigodo con los romances de Gaiferos. No es, por lo tanto, necesario abordar aquí la cuestión lingüística: ya que parece ahora que los visigodos no estaban totalmente latinizados antes de cruzar los Pirineos, y que hubo una época de bilingüismo (Penny 1993: 12), ¿en qué lengua se habría compuesto la hipotética epopeya de la España visigoda?

Tampoco hay razones para aceptar la hipótesis de Menéndez Pidal sobre una *Leyenda de Vitiza* épica. Dice que:

> el examen de una *Crónica Pseudo-isidoriana* escrita por un mozárabe toledano y atribuida a la primera mitad del siglo XI, contenía un estado muy arcaico de la leyenda del rey Witiza, la cual, junto a la leyenda del rey Rodrigo, mostraba que las ficciones poéticas del siglo VIII, reflejo vivo de los últimos estertores partidistas del reino godo, vivían aún siglos después en perfecto estado de organización narrativa extensa. (1992: 82; véase también 1992: 281 y 298-315)

Publica trozos de siete textos historiográficos, uno árabe, cinco latinos y uno castellano (Menéndez Pidal et al. 1951: 1-6), y es verdad que hay en ellos elementos ficticios y hasta

[7] José FRADEJAS LEBRERO (1988: 67-72) sostiene que hubo un poema épico hispanoárabe, *Bahlul*, compuesto a mediados del siglo IX, y que de éste descienden, a través de un *Wifarius* también perdido, los romances de Gaiferos por un lado y, por el otro, *Waltharius* y *Thidrekssaga* (véase pp. 57-58, infra).

legendarios, elementos más acusados en algunos textos que en otros, pero, ¿qué razones hay para creer en la existencia de fuentes poéticas? A pesar de la indignación de Menéndez Pidal frente a tales dudas ("¿De dónde procedían entonces? ¿De anécdotas en prosa?", 1923: 329), en cada época hay tradiciones y anécdotas seudohistoriográficas que nunca llegan a tener forma poética. Además, los historiadores son capaces de introducir elementos ficticios de su propia confección. No es imposible que hubiera un poema épico sobre Vitiza, pero la hipótesis nos plantea varias cuestiones difíciles (como nota Ribera y Tarragó 1915: 17 y 27).

Una leyenda que tiene mucho en común con la de Vitiza es la de *El rey Rodrigo* (Menéndez Pidal 1925a [el prólogo es una refundición de la primera parte de 1925b]; 1951: 7-19; 1992: 310-19). La presencia de elementos ficticios en la historiografía de la caída de la España visigoda empieza con una historia árabe del siglo XI, y dichos elementos crecen hasta formar una extensa obra de ficción dentro de una marca historiográfica, la *Crónica sarracina* de Pedro del Corral (h. 1430). Se trata de una lenta transformación de los hechos históricos de la conquista islámica en una leyenda que atribuye la culpa del desastre a reyes inmorales y a un traidor. Hay una arraigada tendencia humana a buscar una cabeza de turco para cualquier desastre (en nuestro siglo, Hitler la explotó hábilmente); queda inédita la importante ponencia de L.P. Harvey sobre la leyenda de Rodrigo como ejemplo de dicha tendencia. Para estudios recientes sobre el tema, véanse Martin 1984; Burshatin 1990. La transformación se apoyó desde el principio en elementos folklóricos, y la leyenda de Rodrigo tal como la conocemos es una rama de una muy difundida tradición folklórica europea (véanse Krappe 1923; von Richthofen 1954: 69-74 y 135-50). Hay abundantes muestras de la evolución de la leyenda, pero no hay indicio alguno de la existencia de un poema épico de *El rey Rodrigo* (Ruth House Webber, partiendo de una postura tradicionalista, casi está de acuerdo: "there remains considerable doubt as to whether it ever circulated as an epic poem", 1991: 341).

Entwistle (1947-48: 123) resume convincentemente la cuestión genérica.

Caso parecido, pero de argumento más reducido, es la *Leyenda de Teodomiro* (Menéndez Pidal et al. 1951: 20-21; Menéndez Pidal 1992: 319-25). Ribera y Tarragó es tan escéptico como en el caso de Vitiza (1915: 27); véase también Dubler 1962. La cauta reacción de Ribera y Tarragó frente a estos supuestos poemas se transforma cuando se trata de otro grupo de textos hipotéticos:

> ¿No será prueba evidente de la existencia de una poesía épica romance en Andalucía, la existencia real de una épica árabe coetánea escrita en metros vulgares, ajena a la tradición árabe clásica, sobre todo si esas composiciones épicas árabes están informadas por materias o asuntos peculiarmente españoles? (1915: 14)

Los poemas hipotéticos son *La generosidad de Artabás* (1915: 28-31; cpse Menéndez Pidal 1992: 325-28), *El primer conde de Andalucía* (1915: 32-34), *Muza ben Muza* (1915: 35-39; cpse Menéndez Pidal 1992: 328-29)[8]. Las cuestiones de las pruebas para la existencia de una epopeya hispanoárabe, y de las relaciones entre la épica árabe y la castellana, son complejas: véanse Marcos Marín 1971 y Galmés de Fuentes 1978, los cuales son partidarios de la influencia en la épica castellana de una tradición épica hispanoárabe, mientras que L.P. Harvey (1980: 141-44), resumiendo el estado de la cuestión, se muestra más cauteloso, y Jacques Horrent (1987: 665-67) nota unos puntos flojos en la hipótesis de la influencia de una épica hispanoárabe. José Fradejas Lebrero ha estudiado dos tradiciones hispanoárabes, las de *Bahlul* (1988: 62-72) y de *Muza ben Muza* (1988: 72-78). Revela de manera muy interesante las analogías entre dichas tradiciones y poemas épicos

[8] Vale la pena recordar dos versos del romance "Por las riberas de Arlança":
Dezía el rey a los suyos: "Ésta es una buena lança:
o era Bernardo del Carpio o era Muça el de Granada."
(Di Stefano 1993: 323)

tan diversos como *Gilgamesh* y *Waltharius* en el primer caso, y el *Poema de Fernán González* en el otro.

Una leyenda que enlaza la conquista islámica con la Reconquista es la de *Covadonga*, leyenda que después hizo fortuna en varios géneros de la literatura española (véase Freyschlag 1965). Se encuentra por primera vez en la *Chronica Visegothorum* (h. 880), y luego en otras crónicas; la versión más amplia es la de la *Chronica Najerensis* (entre 1143 y 1157, según West 1975: 389). El centro del relato es el conflicto entre el cristiano leal, Pelayo, y dos enemigos: Munuza, gobernador de Asturias, y el arzobispo Oppas, renegado que apoya a los invasores islámicos. Su escena más extensa es el debate entre Pelayo y Oppas, debate con base teológica y con muchas alusiones bíblicas:

> Predictus vero Oppa episcopus, in tumulo ascendens ante covam dominicam, Pelagium sic alloquitur dicens: "Pelagi, Pelagi, ubi es?" Qui ex fenestra respondens ait: "Adsum." Cui episcopus:
>
> > Puto te non latere, confrater et fili, qualiter omnis Yspania cum uno ordine sub regimine Gotorum esset ordinata, pre ceteris terris doctrina atque scientia rutilaret. Et cum, ut supra dixi, omnis exercitus Gotorum esset congregatus, ysmaelitarum sustinere non valuit impetum, quanto magis tu in isto montis cacumine te defendere poteris?, quod mihi difficile videtur. Immo audi consilium meum et ab hac voluntate animum revoca, ut et multis utaris, et consortio caldeorum fruaris.
>
> Ad hec Pelagius respondit:
>
> > Non legisti in Scripturis divinis quia "ecclesia Domini ad granum sinapis" devenit, et inde rursus per Domini misericordiam in magna erigitur?
>
> (*Chronica Najerensis*, libro II, cap. 7; Ubieto Arteta 1966: 47)

Su desenlace es el episodio en el cual las flechas lanzadas por los invasores se vuelven en el aire, derrotando a los agresores (un motivo martirológico: Walsh 1974: 166-67). El énfasis eclesiástico se ve también en varios pormenores (Sánchez-Albornoz 1967; West 1975: 398-401; Smith 1985a: 38-39; Deyermond en prensa). Para Menéndez Pidal no hay duda de que los relatos cronísticos se inspiraron en un poema épico de la victoria de Pelayo sobre los invasores y Oppas, el obispo traidor (Menéndez Pidal et al. 1951: 22-26; Menéndez Pidal 1992: 331-400); Salvador Martínez acepta que hubo fuente épica para esta parte de la *Chronica Najerensis* (1971: 130-43). El artículo temprano de Zacarías García Villada (1918) es mucho más cauto, sin embargo, y para José Miguel Caso González (1986) es más probable que las crónicas utilizaran una fuente en prosa. En efecto no hay nada que señale una fuente épica; todo indica que estamos en presencia de una leyenda eclesiástica, y es muy posible que haya existido sólo en latín.

2. MISCELÁNEOS

La abdicación de Alfonso el Magno (Menéndez Pidal et al. 1951: 27-28; Menéndez Pidal 1992: 383-91) se encuentra en diez líneas de la *Crónica de Sampiro* (hacia 1000), y en forma algo más amplia en el Tudense y el Toledano. Tiene la unidad narrativa y el dramatismo apropiados para la épica, pero apropiados también para una hábil narración histórica. No hay claros indicios de la existencia de un poema épico, y aunque la hipótesis de su existencia no es totalmente inverosímil, es más prudente excluir *La abdicación* del catálogo. Aún más floja es la argumentación en pro de un poema épico de *Los condes de Castilla rebeldes* (Menéndez Pidal et al. 1951: 29-30; Menéndez Pidal 1992: 391-99). (En la primera versión de las *Reliquias*, inédita hasta hace poco —*Epopeya y romancero*— el título dado a este poema hipotético fue *Nuño Fernández*).

Si las razones para aceptar un poema épico de *La abdicación de Alfonso el Magno* son flojas, y flojísimas para *Los condes de Castilla rebeldes*, son inexistentes en el caso del supuesto poema de *Los jueces de Castilla*, a pesar de la presencia de cinco pasajes historiográficos (tres latinos y dos vernáculos, desde mediados del siglo XII hasta mediados del XIV) en Menéndez Pidal et al. (1951: 31-33; véase también Menéndez Pidal 1992: 399-420). Se trata de un resumen genealógico, del tipo frecuente en la Biblia y en la literatura medieval. Si es épico, también lo son Génesis 5 y Mateo 1. Comento esta cuestión algo más detenidamente en Deyermond en prensa; por ahora, vale la pena notar que, en una comunicación ofrecida en un congreso norteamericano en 1978, invité a los neotradicionalistas presentes a darme al menos una razón para aceptar que hubiera un poema épico sobre el tema, y que nadie me contestó. La palabra más reciente y más autorizada es la de Georges Martin, en su magnífico estudio del tema:

> La Légende des Juges de Castille constitue donc une pièce majeure de l'imaginaire historique [...] Sa propre histoire nous informe de la structure, des fonctions et de la vie du discours historique [...] (1992: 608)[9].

Hay tres poemas hipotéticos cuya existencia fue sostenida hace noventa años por Marcelino Menéndez y Pelayo (1903-04): los de *Álvar Fañez* (1903: 108-27), *Munio Alfonso* (1904: 94-100) y *El Conde Rodrigo González* (1904: 100-12). No se puede descartar la posibilidad de que hayan existido breves poemas heroicos sobre Munio Alfonso y Rodrigo González, posibilidad admitida en el segundo caso por Menéndez Pidal (1992: 69-70), pero no hay razones bastante fuertes para aceptarla. El llanto por Munio Alfonso en la *Chronica Adefonsi imperatoris*, en el cual Menéndez y Pelayo se apoya para demostrar una tradición épica, se modela en el llanto bíblico de David por Jonatás (Shepard 1908; el mismo descubrimiento parece haberse hecho independientemente por Menéndez Pidal 1943: 204-05, y por West 1975: 332-33). Para Menéndez Pidal no hay obstáculo para aceptar el origen épico del episodio de la muerte de Munio Alfonso, pero

[9] Dice también: "Así se inventó en Navarra bajo el reinado de Sancho VI el Sabio (1150-1194), la Leyenda historiográfica de los Jueces de Castilla [...]" (1993b: 196).

Shepard y West se muestran más escépticos, y con razón. La hipótesis de un poema (o más) sobre Álvar Fáñez, también apoyada por Menéndez Pidal (1992: 69-70), merece una consideración más seria a la luz del trabajo de Martínez (1975: 384-88 y 393-95), pero todavía no pasa de ser una hipótesis —e hipótesis que depende de una determinada lectura del *Poema de Almería*— ; esperemos a ver lo que concluye María Morrás en un trabajo que va preparando sobre la cuestión. [AMF; RHPW] El supuesto argumento de otro poema hipotético se refiere a los acontecimientos de la misma época que el poema sobre Álvar Fáñez: se trata del *Cantar de la batalla de Uclés* postulado por Ambrosio Huici Miranda (1956: 105-06) y aceptado como posibilidad, aunque sin entusiasmo, por Salvador Martínez. Para éste, no hay indicio alguno de que existiera un extenso poema épico sobre la batalla, "but it is quite possible that a brief *canto noticiero* had circulated for some time prior to its incorporation into a major poem or legend on the *mora Zaída* [...]" (1986-87: 15n10). No comentan la hipótesis de Huici Miranda ni Reilly (1985) ni Vaquero (1990b), aunque aquél, al ver la narrativa de la batalla (*De rebus Hispaniae*, VI.32) como reflejo del *Cantar de Alfonso VI* (1985: 94; cpse Aa23, infra), tiene más o menos la misma opinión que Martínez.

Es posible que "une version profondément remaniée" del *Poema de Fernán González* fuese prosificada en la *Crónica de 1344* (véase Menéndez Pidal et al. 1951: 156-70) y que dicha versión, refundida de nuevo, inspirase la primera parte de las *Mocedades de Rodrigo*, como concluye Louis Chalon (1976: 561), pero me parece más probable que las diferencias entre el manuscrito del *Poema* y las versiones posteriores de la historia del Conde se expliquen por la utilización del *Cantar de Fernán González* (véase Aa2, infra) y por cambios deliberados de parte del cronista y del poeta de las *Mocedades*.

Antonio Ubieto Arteta sostiene que hubo dos o tres poemas épicos sobre temas de historia aragonesa (además de los comentados en Aa22, Aa25 y Aa27, infra). El tercer caso se presenta muy brevemente y entre puntos de interrogación

(1981: 354): se trata de un poema hipotético sobre la conquista de Valencia en 1237, y la hipótesis se basa en la existencia de dos versiones de la conquista en el *Libre dels feyts del rey Jaume*. No se ofrece ninguna prueba, y hay poquísima argumentación. En los otros dos casos Ubieto Arteta parece tener más confianza, pero aun así habla de "la posibilidad" (1981: 351) o dice que "permite sospechar" (353). Los dos se refieren a episodios de la *Crónica de San Juan de la Peña:* la muerte del rey Sancho Ramírez ante los muros de Huesca en 1094 y la conquista de Tudela en 1119. En ambos casos, se alegan algunos anacronismos para apoyar la hipótesis de un poema épico, pero no hay razón para tomar en serio ninguno de los dos.

Finalmente, no hay razones suficientes para aceptar la sugerencia de José Ignacio Chicoy-Dabán (1974, 1978) de que hubiera un poema épico de *La reina Sevilla*, intermedio entre la *Chanson de Sebile* y el *Noble cuento del enperador Carlos Maynes de Roma e de la buena enperatriz Sevilla su mugier* (cpse von Richthofen 1972: 67-73). Hay varios ejemplos de libros de aventuras en prosa castellana que proviene directamente de un poema francés, y la hipótesis más probable es que lo mismo pasó con *El noble cuento*.

Ciclo de los condes de Castilla

Aa1 *El abad don Juan de Montemayor*

El argumento, relacionado tenuemente con el ciclo de los Condes, se sitúa a principios del siglo XI, pero es dificilísimo averiguar la fecha de composición. "Leyenda totalmente fabulosa y tardía" (Menéndez Pidal 1992: 163), ni siquiera se alude a ella antes de mediados del siglo XIV, cuando Afonso Giraldes dice, en su ahora fragmentario *Poema da batalha do Salado*, que

> Outros falan da gran rason [...]
> do abbade dom Joon
> que venceo rei Almançor.
> (Menéndez Pidal 1934b: 103)

El primer texto de la leyenda se encuentra en 1491, en el *Compendio historial* de Diego Rodríguez de Almela (carecemos todavía de una edición de esta importante obra historiográfica, aunque David Mackenzie anunció en 1980 que la preparaba). Poco después (en ¿1498?) se imprime un pliego de cordel, *La historia (El libro) del abad don Juan señor de Montemayor*, que atrajo el interés de los lectores a lo largo de los siglos XVI y XVII (se conocen seis ediciones más, la última en 1693). Menéndez Pidal incluye en su estudio monográfico (1934b) ediciones del texto según Rodríguez de Almela y según el cuaderno en su reimpresión hacia 1500. Concluye que "Este Cuaderno impreso reproduce la misma prosificación medieval utilizada por Almela, y en general la reproduce con más amplitud y fidelidad" (1934b: 151). De todos los poemas épicos perdidos e hipotéticos del ciclo de los Condes, *El abad don Juan* es el menos seguro en cuanto a la existencia de un poema. La fecha tan tardía del primer texto cronístico nos inclinaría a creer que se trata tan sólo de una leyenda en prosa, tal vez inspirada en poemas épicos sobre otros temas, si no hubiera escasos restos de asonancia (Menéndez Pidal 1934b: 124-27). A la luz de dichos restos, parece posible, aunque nada seguro (véase Webber 1991: 342), que hubiera un poema épico (¿del siglo XIII o la primera mitad del XIV?) sobre el tema. [SGA]

Aa2 *Cantar de Fernán González*

El *Poema de Fernán González* en cuaderna vía, obra de un monje de San Pedro de Arlanza (¿último cuarto del siglo XIII?) da la impresión de que varios episodios y varios rasgos de su héroe provienen de un poema épico tradicional (Entwistle 1933: 361-66; Menéndez Pidal 1992: 421-28; Avalle-Arce 1974: 64-82; Brevedán 1976: caps. 3-4; West 1983: cap. 2; Keller 1990: caps. 4 y 10; Webber 1991: 340). La intensa concentración de motivos folklóricos (Deyermond & Chaplin 1972; Di

Marino 1993) no prueba que haya existido tal poema, pero refuerza la hipótesis. También lo refuerzan la presencia en la sección correspondiente de la *Chronica Najerensis* de elementos ficticios (Chalon 1976: 399-411), por ejemplo:

> Sanctia eiusdem regis Garsee sorore, [...] habens nesciente fratre colloquium liberatus est dato prius eidem sacramento, quod si eum inde educeret, eam duceret in uxorem. Quod et fecit. (II.58; Ubieto Arteta 1966: 78)

y el hecho de que las *Mocedades de Rodrigo* (Deyermond 1969: 190-92) y las crónicas y los romances posteriores al *Poema de Fernán González* (Menéndez Pidal 1899; Menéndez Pidal et al. 1957-63: 3-37 y 282-90) incluyen de vez en cuando elementos obviamente ficticios que no están en el *Poema* (Chalon 1976: 460-75; cpse Pattison 1983: 23-42). Hay que recordar la cauta postura que adopta René Cotrait en su investigación monumental de Fernán González en la historiografía hispanolatina (1977: 328-32 y 372-462) y el escepticismo de Colin Smith (1985a: 39-40) y de Georges Martin (1993a: 17 n11); sin embargo, es difícil explicar la trayectoria literaria del Conde sin postular un *Cantar de Fernán González*. Su fecha de composición queda incierta, pero lo más probable es que naciera en el siglo XI (siglo XII, antes de 1160, según Entwistle 1947-48: 120). Mercedes Vaquero prefiere una fecha posterior, relacionando el *Cantar* con la situación política de fines del siglo XII:

> it reflects a state of society similar to the one in that period. I believe that it was designed to suit the purposes of the Castilians' territorial advances during the reigns of Fernando II and Alfonso IX of León, and of Sancho III and Alfonso VIII of Castile. (1994: 151)

Para Samuel G. Armistead (1976: 322 n19) hubo versiones posteriores del *Cantar:*

Aa2.1 Versión prosificada por la *Crónica de 1344* (Menéndez Pidal et al. 1951: 156-70), distinta de la fuente principal del *Poema*.

Aa2.2 Version(es) que inspiraron los romances "Castellanos y leoneses" y tal vez "En Castilla no avié rey". Véase, sin embargo, la opinión de Martin:

> l'orageuse rencontre de Ferrand Gonzalez et du roi Sanche de León au bord du Carrión [...] ne dut pas dépasser, dans son éventuelle version poétique, les dimensions d'un romance. (1993a: 18)

Martin se aproxima aquí a la hipótesis de Roger Wright (1985-86). Vaquero, en cambio, acepta que el primer romance deriva del *Cantar*, y no de una refundición (1994: 150).

Aa2.3 Versión conocida por Gonzalo de Berceo (Dutton 1961).

Aa3 *Cantar de Sancho II* (primera versión)

La versión resumida en la *Chronica Najerensis* (Menéndez Pidal 1923: 344-50 y 1992: 531-51; Reig 1947: 31-42 —según éstos, poema compuesta en el reinado de Alfonso VI—; Martínez 1971: 143-76; Chalon 1976: 280-83 —composición h. 1100—; Vaquero 1990c: 66-69) es muy distinta de la prosificada en la *Estoria de España*, según demuestra Charles F. Fraker (1974)[10]. Para William J. Entwistle (1933: 360-61;

[10] Empleo el título *Estoria de España* para la obra proyectada y en gran parte redactada por Alfonso X y su equipo. Las investigaciones de Diego CATALÁN han confirmado las dudas expresadas en el siglo XIX por Manuel MILÁ I FONTANALS y luego, con más fuerza, por Theodore BABBITT (1936), demostrando que, aunque el ms. Escorial Y-I-2 (el primer tomo del "manuscrito regio" editado por MENÉNDEZ PIDAL 1955) representa fielmente la *Estoria de España* alfonsí, el segundo tomo de dicho manuscrito, Escorial X-I-4, es un códice facticio de mediados del siglo XIV del cual sólo las primeras páginas son de la *Estoria de España*. El segundo tomo de MENÉNDEZ PIDAL 1955, con la excepción de dichas páginas, ni representa la *Estoria de España* ni tiene unidad de composición. Para el presente *Catálogo* mi hipótesis de trabajo,

1947-48: 120-21) la *Najerensis* se apoya exclusivamente en el *Carmen de morte Sanctii regis* (Ab1, infra), y por lo tanto el *Cantar* sería posterior a 1160; West (1975: 405-08), Reilly (1976: 135-36) y Smith (1985a: 44-52) apoyan el escepticismo de Entwistle en cuanto a la presencia del *Cantar en la Najerensis*. Con este escepticismo se alinea últimamente —y de manera más radical— Georges Martin, el cual analiza la historiografía temprana del Cerco de Zamora (1992: 100-02 n122), y concluye que "les premiers motifs cidiens du Siège de Zamora furent des élaborations purement historiographiques et non l'œuvre des jongleurs" (1993a: 18)[11]. A la luz de la argumentación de dichos investigadores, ya no me parece seguro que hubiera una versión primitiva del *Cantar de Sancho II*, utilizada por la *Najerensis*, pero todavía me parece probable, a causa de la narrativa coherente, y del acusado tenor épico, que se pueden vislumbrar a través de la prosa latina de los historiadores; una narrativa, por cierto, muy distinta de la que se encuentra en la *Estoria de España*.

El argumento de lo que me parece ser la primera versión es esencialmente una secuencia de venganza y contravenganza en la que se atribuye a la princesa Urraca la responsabilidad principal del asesinato de Sancho y se insinúa que está motivada por su amor incestuoso hacia su hermano Alfonso (véase Lévi-Provençal & Menéndez Pidal 1948)[12]. Para Fraker (1974) es probable que la primera versión del *Cantar* haya

---

tal vez imprudente, es que la estructura y, en sus líneas generales, el contenido de X-I-4 corresponden a los de la *Estoria* alfonsí, aunque las palabras pueden ser a veces muy distintas. Por lo tanto, conservo para las citas textuales el título escogido por MENÉNDEZ PIDAL, *Primera crónica general*.

11 En un cuadro sinóptico de gran utilidad, MARTIN presenta las versiones del Cerco de Zamora ofrecidas por la *Historia Roderici*, el *Linage de Rodric Díaz*, la *Chronica Najerensis* y el *Liber regum* (1992: 58-60).

12 Bernard REILLY (1976: 136) sostiene que la sugerencia de dicho amor proviene más bien del *Cantar de Alfonso VI* (véase Aa23, infra).

incluido la *Jura de Santa Gadea* (Aa16, infra), pero me parece mucho más probable que haya terminado con el reto y los duelos entre los campeones de la ciudad de Zamora y los del rey muerto. Los rasgos distintivos del *Cantar de Sancho II* en su primera versión lo asocian no con el ciclo del Cid sino con el de los Condes de Castilla (Deyermond 1976: 289-90 y 293-96). [AMF]

Aa3.1 Mercedes Vaquero (1990a: 70-71; 1990c: 73-75) ve en la coincidencia de un detalle en los romances y un *Memorial de ystorias* de fines del siglo XV la supervivencia en la tradición oral del primer *Cantar de Sancho II* (véase la nota 23, infra).

Aa4 *La condesa traidora* (primera versión)

Esta curiosa narración, que tiene menos conexión con la historia que ningún otro poema del ciclo de los Condes (menos aun que *Los siete infantes de Lara*) se encuentra por primera vez en la *Chronica Najerensis* (Menéndez Pidal 1923: 337-40; Martínez 1971: 118-30; West 1975: 402-04). Aquí, y con más amplitud en el Toledano, se narra la muerte de Garci Fernández, segundo conde de la Castilla independiente, a causa de la traición de su mujer:

> Interea ad comitissam, comitis Garsiez Ferrandez uxorem, per nuntium verba amoris dolose dirigit et an comitissa esse, an in reginam velit provehi, callidus sciscitatur. Quibus verbis illecta et viro interfecto, reginam se fore arbitrans, quomodo virum interfici faciat, querit sollicita, unde quo viri per noctes singulas, ordeum subtrahens, salviatum, ut hora deficeret necessaria, ministrabit. (Chronica Najerensis, II.80; Ubieto Arteta 1966: 85)

y la muerte de ésta a raíz de su tentativa fracasada de envenenar a su propio hijo. No hay ni la menor alusión a lo que conocemos como la primera parte de *La condesa traidora*, en la cual Garci Fernández mata a su mujer infiel y a su amante (los dos franceses) con la ayuda de la hija del amante, la cual llega a ser la segunda y mortífera mujer del Conde. Es posible, pero poco probable, que el autor de la *Najerensis* haya seleccionado tan sólo la segunda mitad del poema, y que el Toledano le haya imitado, pero es mucho más probable que se trate de dos versiones, siendo la segunda el resultado de un proceso de geminación (bastante frecuente en la narrativa tradicional). Los primeros investigadores que se interesaron por *La condesa traidora* creyeron que se trataba de dos narraciones independientes que finalmente se combinaron, hipótesis aceptada al principio por Menéndez Pidal (bibliografía en Vaquero 1990c: 49n3) y apoyada hasta cierto punto por la división de la narración en dos partes en la *Estoria de España* (caps. 729-32 y 763-64), aunque hay que recordar que la prosificación de *Los siete infantes de Lara* también se divide (caps. 736-43 y 751). Ruth House Webber suscribe la hipótesis de dos leyendas distintas, pero en una forma más radical, negando que se hubieran combinado nunca. Se basa en una comparación con la estructura binaria que encuentra en muchos poemas épicos de la Europa medieval:

> Although in the conniving and the barbarity of the acts perpetrated there is a certain resemblance to the second move of the *Nibelungenlied*[13], it should be remembered that Kriemhild's actions are motivated by vengeance for the slaying of her husband. Nor is the sequence of missions [en la *Condesa traidora*], vengeance followed by an improper quest, a feature of any of our other texts. Therefore, it suggests that the two stories should and did remain independent despite the appearance in both of the unscrupulous countess and that, together or separate, even with the required historical foundation, they

[13] WEBBER define: "*Move* is used here in preference to *part* in the Proppian sense [PROPP 1968: 25-65] of a unit of a story that is complete in itself" (1991: 343 n 3).

were never transmitted in traditional poetic form. (1991: 341-42)

Habrá que ver la argumentación de Webber en forma ampliada para valorarla debidamente, pero hasta el momento me parece que las semejanzas entre las dos partes de la *Condesa traidora* indican la ampliación de una historia por geminación, más bien que dos historias independientes. Un dato muy curioso es que la *Crónica de veinte reyes* omite el primer matrimonio del Conde (Pattison 1983: 61-62), lo que sugiere la coexistencia de las dos versiones en la tradición popular durante al menos unos decenios.

Además de los estudios ya citados, von Richthofen (1954: 75-88 —comparación con el poema épico francés *Beuve de Hantone*), Chalon (1976: 523-29), Pattison (1983: 59-61) y Vaquero (1990c: 1-6 y 48-51) se ocupan específicamente de la primera versión. *La condesa traidora* en general se estudia en Menéndez Pidal (1934c; 1992: 491-507), Plumpton (1962), Chalon (1976: 519-34; 1977-78), Acutis (1985) y Smith (1985a: 40-43). La cuestión más discutida es el género de *La condesa traidora:* varios investigadores dudan de que se trate de la épica (Menéndez Pidal lo dudó mucho tiempo, como admite en 1934c: 5-6), y Chalon lo niega rotundamente, alegando, entre otras cosas, la falta de asonancias en la prosa de las crónicas. La ausencia del tema en el romancero viejo parece apoyar tales dudas, pero véase B7, infra. No obstante, las razones para aceptar que hubo poema épico —sobre todo, los rasgos que comparten con otros poemas del ciclo de los Condes (Deyermond 1976 y 1988)— son todavía más convincentes que las razones opuestas, a pesar de los juicios negativos de Armistead (1986-87: 339n2) y Webber (1991). La fecha de composición tiene obviamente que ser anterior a la de la *Najerensis*, y quizás sea hacia 1100.

Aa5 *La condesa traidora* (segunda versión)

La versión extensa se encuentra en la *Estoria de España* (*Primera crónica general*, caps. 729-32 y 763-64), donde empieza con el milagro de Cascajares y termina con la fundación del monasterio de San Salvador de Oña. Dentro de este marco eclesiástico tenemos el doble desastre matrimonial de Garci Fernández, una historia de adulterios y asesinatos. La coexistencia de las dos versiones, atestiguada por la presencia de la primera versión en la *Crónica de veinte reyes*, dificulta el conjeturar una fecha de composición de la segunda versión, pero la más probable parece ser la de mediados del siglo XIII[14]. D.G. Pattison (1983: 57-69) estudia la presencia de esta versión en las crónicas de los siglos XIII-XIV, y Mercedes Vaquero sostiene que varias obras historiográficas del siglo XV reflejan versiones distintas de *La condesa traidora*, pero ya no de poemas distintos:

> De la historia o historias sobre la CT que circulaban oralmente por la Península, no quedan restos de rimas en las crónicas. Esto hace sospechar que ya en el siglo XV probablemente se trataba de una leyenda en prosa. (1990c: 47)

Aa5.1 Versión incluida en la *Versión interpolada de la Vulgata* (fines del siglo XIV o principios del XV). (Vaquero 1990c: 10-13; cpse Pattison 1983: 64.)

Aa5.2 Versión incluida en el *Compendio historial de las crónicas de España* (1476-78), de Diego Rodríguez de Almela (1990b: 14-15).

Aa5.3 Versión incluida en la *Crónica abreviada de España* (h. 1480), de Diego de Valera (1990b: 15-16).

14 Para evitar confusiones, empleo el título —casi universal entre hispanomedievalistas— de *Crónica de veinte reyes*, aunque no se encuentra en ninguno de los manuscritos, la mayoría de los cuales llevan el título *Corónica de onze reyes de España*.

Aa5.4 Versión incluida en la *Crónica brevemente sacada* (finales del siglo XV), de Gonzalo de Arredondo (1990b: 16-18).

Aa5.5 Versión incluida en la *Refundición toledana de la Crónica de 1344* (finales del XV) (1990b: 19-23).

Aa5.6 Versión incluida en el *Libro de las bienandanzas e fortunas* (1471-76), de Lope García de Salazar (1990b: 23-28).

Aa5.7 Versión incluida en el anónimo *Memorial de ystorias* (finales del siglo XV) (1990b: 29-37).

Dichas versiones reflejan principalmente la filiación textual de las obras historiográficas, y las posibles tradiciones orales de *La condesa traidora* en el siglo XV influirían sólo en varios pormenores (Vaquero 1990c: 38-47).

Aa6 *Romanz del infant García*

Es, según creo, uno de los dos casos en los cuales una crónica da un título exacto para un poema épico perdido (el otro es el *Cantar de Sancho II*, Aa11, infra; en el caso de *Fernando par de emperador*, Aa13, infra, se trata más bien de una alusión al tema):

> Mas peró que assí fue como el arçobispo [el Toledano] et don Lucas de Túy lo cuentan en su latín, dize aquí en el castellano la estoria del Romanz del inffant García dotra manera, et cuéntalo en esta guisa [...] (Menéndez Pidal 1955: II, 471a)

El asesinato de García, último conde de Castilla, durante una visita galante a León en 1029, se narra en la *Najerensis* de una manera que indica la presencia de un poema épico (Menéndez Pidal 1923: 340-42), y con más amplitud emotiva en el Tudense y el Toledano, por ejemplo:

> Cumque se mutuo conspexissent, ita fuit uterque amore alteri colligatus, ut vix possent a mutuis aspectibus

> separari. (Cabanes Pecourt 1968: 115b; véanse Menéndez Pidal 1934d: 61 y Deyermond 1988: 777)

y luego en la *Estoria de España*, caps. 787-89. Como el *Cantar de Mio Cid*, el *Romanz* empieza con una refundición de la realidad histórica, pasando a un desenlace totalmente ficticio, en este caso influido por el de *Los siete infantes de Lara* (Deyermond 1976: 292-93). El tenor emocional ya notado en el Toledano se hace abiertamente sensual:

> fuesse pora su esposa donna Sancha, et viola, et fabló con ella quanto quiso a su sabor; et pues que ovieron fablado en uno buena pieça del día, tanto se pagaron ell uno del otro et se amaron de luego, que non se podién partir nin despedirse uno dotro. (Menéndez Pidal 1955: 470b)

La muerte de García, narrada sobriamente por el Toledano y el Tudense, se narra con una violencia pormenorizada en el pasaje atribuido por el equipo alfonsí al *Romanz*:

> el inffant seyendo en el palacio fablando con su esposa, non sabiendo nada de su muerte, quando oyó demandar armas a grant priessa, [...] salió fuera a la rua por ver qué era; et quando vio todos sus cavalleros muertos, pesol muy de coraçón et llorava fieramientre rompiéndose todo por ellos. Los condes [...] echaron las manos en él et leváronle mal et desonrradamientre [...]. La inffante donna Sancha quando sopo que el inffant García era preso, [...] começó a dar grandes vozes et dixo: "Condes, non matedes all inffante, ca vuestro sennor es; et ruégovos que antes matedes a mí que a él." El conde Fernand Llaynes fue mui sannudo contra la inffant, et diole una palmada en la cara. [...] Ellos [...] dieron en [García] grandes feridas con los venablos que tenién, et matáronle. La inffante donna Sancha estonces con la grand coyta que ovo ende, echose sobrel, et el traydor de Fernand Lláynez tomola essa ora por los cabellos et derribola por unas escaleras ayuso. (471ab)

Webber se niega a aceptar que hubiera necesariamente un poema épico sobre el tema, ya que se trata de "a story with only one move and a hero not of a recognizable epic type", aunque "In later elaborations of the tale a skeletal second move has developed in which the slain *Infante*'s bride-to-be refuses to accept another husband until the remaining assassin is apprehended, after which she wreaks her own bloody vengeance on him" (1991: 342). No me parece que se trate necesariamente de elaboraciones posteriores, ni que hubiera dos versiones del poema (a diferencia de lo que pasa con los *Siete infantes* y la *Condesa traidora*: es más probable que la *Estoria de España* recoja de manera más amplia la narración de la venganza que ya estaba en el poema (Deyermond 1976: 287-88 y 292-93)[15].

Para estudios extensos, véanse Menéndez Pidal (1934d; 1992: 509-29) y Pattison (1983: 70-80). Además de los textos historiográficos, hay dos epitafios latinos, uno en la Catedral de León y otro en el monasterio de Oña (Menéndez Pidal 1934d: 49-52). El epitafio de León (¿segunda mitad del siglo XII?), concuerda con la tradición cronística del *Romanz*:

> Hic requiescit infans dominus Garsia qui venit in Legionem ut acciperet regnum et interfectus est a filiis Vele comitis. (49)

El de Oña, en cuatro hexámetros, es más antiguo, y da una versión distinta de la muerte de García:

> Hic aetate puer Garsias, Absalon alter,
> fit cinis: illud erit qui gaudia mundi quaerit.

15 No estoy convencido de que toda la epopeya tradicional de la Edad Media europea emplee estructuras binarias, como supone la hipótesis de WEBBER. Esto me parece una visión demasiado monolítica de la épica medieval, igual que la de DORFMAN (1969), según la cual el diseño dominante de la épica medieval francesa y española es el de riña familiar + injuria + traición + castigo. Huelga decir que la hipótesis de WEBBER no tiene los defectos obvios que se han notado en el libro de DORFMAN (véase, por ejemplo, CHAPLIN 1971).

Mars alter durus bellis erat ipse futurus,
sed fati serie tunc prius occubuit.
Hic filius fuit Santii istius comitis, qui interfectus fuit proditione a Gundisalvo Munione et a Munione Gustios et a Munione Rodriz et a multis aliis, apud Legionem civitaten. Era MLXVI. (51-52)

Es posible que descienda de un poema latino análogo al *Carmen de morte Sanctii regis* (Ab1, infra) (Russell 1978b: 74; Smith 1985a: 43).

Aa7 *Siete infantes de Lara* (primera versión)

Me refiero en esta entrada a la primera versión de la cual existe una prosificación (la de la *Estoria de España*). Comento en el tercer párrafo el problema de saber hasta qué punto dicha versión difiere del poema compuesto hacia 1000.

Se trata del tema más estudiado de toda la epopeya perdida, y la bibliografía es muy extensa. El libro de Menéndez Pidal, publicado en 1896 y aumentado dos veces (Menéndez Pidal 1971), es un clásico de la investigación, y sigue siendo el punto de partida imprescindible para el estudio de *Los siete infantes*. Sus dos logros principales en 1896 fueron la fijación de una fecha aproximativa para la primera versión del poema y la reconstrucción de muchos versos de la segunda versión (y unos pocos de la primera), extraídos de la prosa de las crónicas, por ejemplo (de la primera):

Fue ý Gonçalvo Gústioz, con su mugier donna Sancha,
con ellos sos siete fijos, [los siete inffantes de Salas,]
e ese don Muño Salido, ell amo que los criara..
(Menéndez Pidal 1971: 415)

Demostró que el argumento del poema supone una situación política que terminó hacia finales del siglo X, una situación de hegemonía islámica, de sumisión de los reinos cristianos al califato de Córdoba. El episodio específico reflejado en el poema —una incursión que provocó la prisión de embajadores en Córdoba—, que para Menéndez Pidal ocurrió en 974, parece, a la luz de investigaciones posteriores, haber pasado en 990 (Ruiz Asencio 1969; cpse Pérez de Urbel 1971). Por lo tanto, hay que modificar ligeramente la fecha de composición propuesta por Menéndez Pidal: hacia 1000 en vez de hacia 990. Lo que importa, sin embargo, es que el ambiente político que supone el poema habría resultado inconcebible después de finales del siglo X. Es posible que haya que revisar tal juicio cuando salga el artículo de María Eugenia Lacarra (en prensa), pero hasta el momento la argumentación de Menéndez Pidal sigue pareciéndome sólida. Es difícil imaginar la composición por escrito de un poema épico castellano hacia 1000, y el hecho de que la prosa de las crónicas incluya los restos de un sistema de fórmulas refuerza la hipótesis de composición oral, con todo lo que implica (Lord 1960, pero véase la introducción al presente capítulo). Parece a primera vista que el silencio de la *Chronica Najerensis* y de otras crónicas latinas —la primera mención de la leyenda de los siete infantes se encuentra en la *Estoria de España*— es incompatible con la composición del poema hacia 1000, pero el silencio se explica fácilmente: las crónicas latinas se ocupan de reyes y de condes, de la historia pública, no de la historia privada de familias (Entwistle 1947-48: 117-18). Colin Smith (creyendo que *Los siete infantes* y los otros poemas épicos se compusieron en el siglo XIII sobre el modelo del *Cantar de Mio Cid*, 1985a: 175-77) trata de refutar esta explicación ("El silencio [...] es harto significativo", 1985a: 57), pero sin éxito. Si *Los siete infantes* es efectivamente un poema que nació casi tres siglos antes de su primera prosificación —tres siglos en los cuales se habría difundido en recitaciones juglarescas—, es inconcebible que haya permanecido inalterado. No sabemos, desde luego, cuánto y de qué manera habría cambiado. Si los poetas épicos castellanos de los siglos XI-XIII se parecían a los cantores épicos serbocroatas de los años treinta de nuestro siglo (véase Lord 1960), los cambios deben de haber sido múltiples y radicales, pero si no, *Los siete infantes* utilizado por la *Estoria de España* podría relacionarse de manera bastante clara con el poema de hacia 1000. Para Thomas A. Lathrop (1980) es lógico aplicar la teoría de Parry y Lord, de modo que no habría dos versiones principales de *Los siete infantes* sino una evolución continua (para algunos problemas relacionados con la aplicación de la teoría Parry-Lord a la épica medieval española, véanse las pp. 50-53, supra).

La prosificación en la *Estoria de España* es muy extensa (caps. 736-43 y 751), e igual en las crónicas posteriores (véanse Menéndez Pidal et al. 1951: 181-98; Chalon 1976: 476-500; Pattison 1983: 43-49). Tenemos, por lo tanto, una posibilidad excepcional de analizar la estructura, los motivos, los personajes y las relaciones literarias de las dos principales versiones perdidas del poema. Veamos, por ejemplo, la escena de la *Primera crónica general* en la cual Mudarra venga la muerte de sus hermanastros:

> Et pues que entraron en el palacio do estava el conde, desaffió luego Mudarra Gonçález a Roy Blásquez, que falló ý, et a todos los de la su parte. [...] Et díxol essa ora Roy Blásquez que non dava nada por todas sus menazas, et demás que non dixiesse mentira ante su sennor. Quando Mudarra Gonçález oyó assí dezir a Roy Blásquez, metió mano a la espada, et fue por ferirle con ella; mas travó con éll el conde Garci Fernández, et non gelo dexó fazer; et fízoles allí luego que se diessen treguas por tres días. [...] Mudarra Gonçález [...] fuesse echar en celada cerca de la carrera [...] et en passando Roy Blásquez, salió Mudarra Gonçález de la celada, et dio vozes, et dixo yendo contra éll: "Morrás, alevoso, falso et traydor", et en diziendo esto fuel dar un tan grand colpe de la espada

> quel partió fasta en el medio cuerpo, et dio con él muerto a tierra. (Menéndez Pidal 1955: 447-48).

Alberto Montaner opina que en esta prosificación "se aprecia un modelo formal que no puede desligarse del representado por el *Cantar de mio Cid* y, por tanto, está en dependencia de la épica francesa del siglo XII" (1993a: 24n16). Hay que esperar una presentación extensa de esta opinión, que coincide con la conclusión de Colin Smith (1985a: 176-77). Para Anne-Marie Capdeboscq, la prosificación en la *Estoria de España* refleja el pensamiento jurídico alfonsí:

> En effet, si le contenu de la légende est ancien (Xe siècle), le fait que cette légende soit insérée dans un ensemble du 13e ou du 14e siècle, en change tant le contenu que la signification. Ce n'est plus une légende simplement, c'est aussi un témoignage, un fragment d'histoire, un moment de droit. (1984: 190)

Los cambios que implica su hipótesis no habrían existido necesariamente en el poema del cual proviene la prosificación alfonsí; Capdeboscq se refiere a "le discours récupérateur et régulateur des compilateurs" (1984: 189; cpse la pp. 53-54, supra).

Se ha comparado los *Siete infantes* con la *Chanson de Roland* (Krappe 1924; Riquer 1984: 239; Montgomery 1994), con *Galiens* y *Aymeri de Narbonne* (Riquer 1984: 239-40), con el *Nibelungenlied* (Menéndez Pidal 1992: 486-90) y con la *Thidrekssaga* (Menéndez Pidal 1992: 481-86; von Richthofen 1954: 151-91; Smith 1985a: 58). La comparación más interesante es con la épica germánica: para dar sólo un ejemplo, la transformación del carácter de Sancha se parece mucho a la de Kriemhild en el *Nibelungenlied*: las dos empiezan como mujeres cariñosas y felizmente casadas y terminan como sanguinarias máquinas vengadoras. Hace setenta años el germanista Schneider (citado por von Richthofen 1954: 158, 177 y 183-84) sugirió que las leyendas germánicas en su forma existente acusan la influencia de los *Siete infantes*, pero según la hipótesis de von Richthofen la influencia va en sentido contrario[16]. Hay estudios de varios aspectos por Menéndez Pidal (1992: 449-81) y por Cesare Acutis (1978). [AMF]

Aa8 *Siete infantes de Lara* (segunda versión)

En 1896 Menéndez Pidal, después de reconstruir unos versos de la primera versión (1971: 415-16), pasó a una reconstrucción extensa de versos de la segunda versión (para él, h. 1320), apoyándose en las asonancias en la prosa de crónicas del siglo XIV (1971: 416-32), por ejemplo:

La cabeça de [don] Muño (Sabido) tornola en su lugar,
e la de Diago Gonçález [en los braços] fue a tomar;
[e] mesando sus cabellos e las barbas de su faz:
"¡Señero, só, e mezquino, para estas bodas bofordar!
Fijo Diago Gonçález, a vós amava yo más,
fazíalo con derecho, ca vós naçiérades ante.
Grant bien vos quería el conde, ca vós érades su alcalle,
también toviestes su seña en el vado de Cascajar;
a guisa de mucho ardido muy onrrada la sacastes [...]
(423)

La reconstrucción se amplía mucho más en sus trabajos posteriores: en vez de los 255 versos que nos ofrece *Epopeya y romancero* (la primera versión de lo que iba a ser las *Reliquias)*, las *Reliquias* tienen 559 (Menéndez Pidal et al. 1951: 199-239). Hay peligros, desde luego, y sobre todo en "la reconstrucción [...] a partir de una prosificación en que se intenta desversificar la fuente poética (caso de la *Crónica de 1344*)" (Catalán 1980:

[16] Esta hipótesis se refiere a la versión alfonsí de los *Siete infantes*, que para von RICHTHOFEN difiere mucho de la tradición anterior. SMITH ve en el viaje de la princesa Kristin de Noruega en 1256-57, para casarse con el infante Felipe, el momento en el cual se transmitió la influencia de la *Thidrekssaga*.

xxxviii). Un obstáculo adicional es que la *Crónica de 1344* castellana es traducción del original portugués, de Pedro de Barcelos, de modo que los versos épicos han pasado por dos traducciones antes de llegar a la prosa cronística castellana de la cual provienen las reconstrucciones pidalianas. A veces hay que cambiar el orden de las palabras, o sustituir una palabra por otra, para conseguir un verso (véanse los reparos de Daniel Devoto, 1980-82: segunda parte, 50-60). A veces el verso reconstruido resulta ser un fantasma: hay un caso famoso en el cual una sección de prosa rítmica, con asonancia en *e-e*, proviene no de un poema épico sino de una crónica latina (Henríquez Ureña 1961: 23n). Y la combinación de versos sacados de dos crónicas para conseguir una serie continua puede dar una impresión errónea (von Richthofen 1972: 47-48 y 55-65). Si excluimos todos los casos dudosos, sin embargo, queda un gran número de versos auténticos, a menudo agrupados en series bastante largas. Es posible que el caso de los *Siete infantes* sea excepcional, y que las series reconstruidas de prosificaciones cronísticas de otros poemas épicos sean menos seguras de lo que parecen: véase Montaner Frutos 1993b, que demuestra con argumentación rigurosa lo bien fundadas que fueron las palabras de Catalán 1980. Montaner Frutos analiza un pasaje de la *Crónica particular del Cid* (extracto de la *Crónica de los reyes de Castilla*), pero incluso en el caso de los *Siete infantes* vale la pena meditar su conclusión: "Hay, pues, que actuar con mucha cautela antes de dar por bueno un conjunto de aparentes rimas. Y en cuanto a las reconstrucciones extensas, convendrá verlas como meras aproximaciones al efecto estético de un original irremisiblemente perdido (cuando existió realmente), más que como su recuperación efectiva, que apenas puede lograrse" (p. 70).

Las prosificaciones de *Los siete infantes* incluidas en la *Crónica de 1344* y en la *Interpolación de la Tercera crónica general (Versión interpolada de la Vulgata)* se han estudiado con resultados diversos. Angelo Monteverdi (1934) no ve la necesidad de suponer una segunda versión; para él, todas las diferencias entre la historia de los siete infantes en la *Estoria de España* (es decir, lo que leemos en la *Primera crónica general*) y en la *Crónica de 1344* se pueden explicar por técnicas y gustos diversos de los cronistas. Menéndez Pidal le contesta (1951: lxix-lxx), pero Smith apoya a Monteverdi (1985a: 94 —nótese, sin embargo, que Smith se equivoca al decir, 94n, que Diego Catalán confirma la hipótesis de éste). Chalon acepta que hubo una refundición, y estudia su presencia en varias crónicas (1976: 500-18). Anne-Marie Capdeboscq (1989) estudia el desarrollo del personaje de Mudarra en las sucesivas crónicas, suponiendo la existencia de dos versiones distintas del poema. John G. Cummins (1976) está de acuerdo con la hipótesis de la existencia de una segunda versión y de su prosificación en la *Crónica de 1344*, pero concluye que la *Interpolación de la Tercera crónica general* amplifica, en su mayor parte, el relato de la *Estoria de España* "by prosifying a survival of the thirteenth-century version" (1976: 114). Para Pattison (1979; 1983: 49-51) es más probable que los rasgos distintivos de la *Interpolación* se deban a cambios deliberados de parte del cronista.

Tomando en cuenta dichas aportaciones, quedo convencido de que una refundición de *Los siete infantes* se prosificó en la *Crónica de 1344* portuguesa, encontrándose también en otras crónicas (directamente o por adaptación de un relato cronístico anterior: por ejemplo, Lathrop concluye, después de un estudio minucioso (1972: 42-75), que las diferencias entre el relato de la *Crónica de 1344* y el de su *Refundición toledana* representan cambios deliberados por el segundo cronista). La argumentación de Cummins (1976), apoyada por otros datos, indica una alta probabilidad de coexistencia prolongada de las dos versiones principales. Son versiones muy distintas en su estructura y en su visión del papel de la mujer en la épica (Deyermond 1988: 769-74)[17]. Vale la pena comparar la escena de la venganza de la primera versión (Aa7, supra) con unas partes del episodio mucho más extenso de la segunda según la *Refundición toledana:*

> Muy ardua & final voluntad trayá don Gonçalo Gonçales [o sea, Mudarra, que parece la reencarnación de su hermanastro asesinado] contra el traydor de Rruy Vasques por lo alcançar & se ver con él, mas non menos medrosamente & fugityva voluntad trayá el traydor por se nunca en uno ver. [...] Et como [...] el traydor de Rruy Vasques vio venir a su enemigo contra él, [...] se encontraron entranbos a dos con las lanças que se falsaron los escudos & las lorigas. Et non plogo a Dios que la lança del traydor aderesçase por las carrnes de don Gonçalo Gonçales, mas junto con la yjada la atravesó & pasó de la otra parte syn le rronper sólo el cuero, nin faser otro algund mal, et la lança de don Gonçalo Gonçales prendió el traydor por la meytad de los pechos & saliole de la otra parte por las espaldas [...] Et mandolo luego don Gonçalo Gonçales poner sobre un asémila [...], & levaron para Sylvestre con muy grandes alegrías. [...] Et mandó luego doña Ssancha faser un grand tablado para en que lo pusiesen, porque la traycion & mal fue por otro tablado començada. Et mandó que lo atasen allí por medio del cuerpo, et que viniesen todos los parientes de aquellos muertos que [...] murieron en aquella traycion [...], et que los mayores lo jugasen a las cañas, et después lo jugasen los pequeños a las piedras, & lo arrastrasen por el suelo. Et fue todo así conplido como doña Sancha mandó, así que aquel traydor quedó por el canpo despedaçado, & lançávanlo los muchachos a los perros. (Lathrop 1972: 158, 160-61 y 165-66)

[17] La importancia aumentada de la venganza de Mudarra en la segunda versión persuade a Francis J. CARMODY a dar a ésta el título de *Mudarra* (1934: 14).

La tradición de los *Siete infantes* continuó no sólo en el romancero (Menéndez Pidal et al. 1957-63: II, 84-252) sino en otros géneros (véase, por ejemplo, Menéndez Pidal 1945: 217-19), y hasta llegó a influir en el folklore, y posiblemente en la historia, de Escocia (Smith 1990). [AMF, MMRF]

Para Armistead (1978: 323n20) hubo otras versiones, descendientes de la segunda versión:

Aa8.1 Version(es) de las cuales nacieron romances como "Pártese el moro Alicante" y "Yo me estaba en Barbadillo". Véase, sin embargo, Cummins 1970 y —opinión muy interesante, ya que proviene de un investigador que es generalmente neotradicionalista— Diego Catalán (1980: xxxix-xl). Catalán sostiene, muy convincentemente, que "Pártese el moro Alicante" tiene su origen en la prosa de la *Crónica de 1344*.

Aa8.2 Posible versión utilizada por Lope García de Salazar en su *Libro de las bienandanzas e fortunas*.

Ciclo del Cid

Aa9 *Cantar de Mio Cid* (primera versión)

Existe una tendencia cada vez más acusada a fechar la composición del *Cantar*, tal como lo tenemos en el manuscrito único, a principios del siglo XIII, y específicamente hacia 1207 (fecha en la cual se copió el antecesor del manuscrito existente). Alberto Montaner, en una revisión bibliográfica de la cuestión (1993a: 3-10), concluye que "una datación finisecular [...] parece ser la propuesta mejor afianzada actualmente" (1993a: 8) (para otras reseñas de la cuestión, véanse Magnotta 1976: 17-37; López Estrada 1982: 19-26; David Hook prepara una bibliografía crítica de la épica española, que saldrá en la serie Research Bibliographies and

Checklists). Sin embargo, sigue muy vigoroso el debate entre los partidarios de la composición hacia 1207 (por ejemplo, Smith 1985a) y los que aceptan la conocidísina hipótesis de Menéndez Pidal, según la cual el *Cantar* tal como lo conocemos hoy se compuso hacia 1140 (por ejemplo, Lapesa 1985: 1-42). Para Joseph J. Duggan, el *Cantar* existente fue compuesto oralmente por un juglar en sólo un día, hacia fines del siglo XII, y así se explican y se armonizan los datos históricos, lingüísticos y estilísticos (Duggan 1989: 124-42). Ya no parece haber partidarios de la hipótesis de la composición hacia fines del siglo XIII o hasta principios del XIV (Cejador y Frauca 1920; Menéndez Pidal refuta esta hipótesis y otra parecida, 1954-56: III, 1187-91). No es éste el lugar apropiado para renovar el debate; por otra parte, ya he dado mi propia opinión (Deyermond 1987: 20-22). Lo que importa para este catálogo es que algunos investigadores han propuesto varias posibles primeras versiones:

Aa9.1 Erich von Richthofen (1970: 136-46) sostiene que la primera versión (un núcleo que iba desde la conquista de Valencia hasta el perdón real) fue compuesta en los últimos años del héroe, o sea hacia 1093-95; que hacia 1100 se agregó la narración desde el destierro hasta la conquista de Valencia; y que entre 1140 y 1160 se agregó el resto del poema. Su argumentación es bastante sumaria y a veces elíptica. Tanto su hipótesis como la de Menéndez Pidal (Aa9.2) son compatibles cronológicamente con la hipótesis más rara que se haya avanzado sobre la autoría del *Cantar*, según la cual el poeta es Jérôme de Périgord, el obispo don Jerónimo del poema (Sainz Moreno 1989).

Aa9.2 Menéndez Pidal (1961) sostiene que la primera versión fue compuesta hacia 1105 (es decir, muy pocos años después de la muerte del héroe), por un poeta de San Esteban de Gormaz, y que fue muy ampliada y refundida hacia 1140 por un poeta de Medinaceli. Dicha refundición es, según él, la representada por el manuscrito existente.

Aa9.3 Jules Horrent (1973: 243-311) fecha la primera versión hacia 1120; según su argumentación hubo una serie de refundiciones hasta llegar al texto existente. Salvador Martínez está dispuesto a aceptar esta fecha (1975: 377), aunque tiene un concepto de la evolución algo distinto del de Horrent.

Aa9.4 J.M. Aguirre (1968), aplicando la teoría de Parry y Lord, ve la prehistoria del manuscrito existente no como una serie de refundiciones escritas sino como una continua tradición oral, con múltiples versiones distintas (cpse el trabajo de Lathrop (1980) sobre la transmisión de *Los siete infantes)*. Germán Orduna (1985) modifica esta hipótesis, sosteniendo que después de la fase de tradición oral hubo una tradición escrita antes de llegar al texto copiado por Per Abbat.

Aa9.5 Para Alfred Coester (1906) la *Estoria de España* no prosifica una refundición del *Cantar de Mio Cid* existente (véase Aa10.1, infra), sino un original más extenso, abreviado en el manuscrito de Per Abbat. Menéndez Pidal refuta su argumentación (1954-56: 1185-87). La hipótesis de Coester no tiene nada que ver con la de P.E. Russell (1978b: 98-103), según la cual la terminación del manuscrito refleja la supresión de la terminación original bajo la influencia del culto de la tumba del Cid en San Pedro de Cardeña (cpse Smith 1985b), y su sustitución por otra, compatible con el culto y sus leyendas.

Aa9.6 Antonio Ubieto Arteta (1972: 192) sostiene que el poeta no fue de San Esteban de Gormaz sino de los valles del Jiloca y el Jalón (probablemente de Santa María del Albarracín, en el Turia), que compuso el *Cantar* en aragonés en el siglo XIII, y que se tradujo al castellano hacia 1350. La argumentación es floja. Los argumentos lingüísticos, aunque apoyados por René Pellen (1976), son insostenibles a la luz de los trabajos de Rafael Lapesa (1985: 13-31) y de Timoteo Riaño y María Carmen Gutiérrez Aja (1992-93)[18]. [AMF]

Todas estas hipótesis, menos las de Aa9.5 y Aa9.6, tienen que enfrentarse con un obstáculo muy serio. El *Cantar de Mio Cid* tal como lo conocemos en el manuscrito es tan individual, tan diferente de la generalidad de la epopeya medieval castellana e incluso europea (Deyermond 1982b; cpse, desde otro punto de vista, la hipótesis de James F. Burke 1991 con lo que dice Francisco Rico de "un nuevo modelo de epopeya", 1993: xliii), que es muy difícil imaginarnos una serie de refundiciones con las mismas características que el *Cantar* existente, mientras que una serie de poemas sin dichas características no serían versiones primitivas del *Cantar* sino de un poema distinto (véase Aa17, infra). [AMF]

Aa10 *Cantar de Mio Cid* (refundiciones)

La *Crónica de veinte reyes* prosifica el *Cantar* contenido en el manuscrito existente, con más o menos fidelidad (Chalon 1976: 256-71; Dyer 1979-80; Pattison 1983: 117-20; Powell 1983: caps. 3-6; Dyer en prensa). Ahora tenemos ediciones de esta parte de la crónica

18 Para los últimos datos e ideas sobre la relación de dicha región con el *Cantar*, véase SANMIGUEL MATEO et al. (1991); no se apoya allí la hipótesis de Ubieto Arteta.

según el. ms. *J* (Escorial X-I-6; Dyer en prensa: cap. 4, apart. B) y según el ms. *N* (Escorial Y-I-12; Powell 1983: 119-55), con variantes de los otros mss. Dyer concluye que "existió en el taller alfonsí una prosificación íntegra de un *Mio Cid* casi idéntico al poema copiado por Per Abbat" (en prensa: cap. 5, apart. E), y que dicha prosificación se utilizó en la *Crónica* (cpse Aa10.7, infra). En las otras crónicas, en cambio, la narración es bastante distinta, revelando a menudo la influencia del culto de la tumba en Cardeña. Los investigadores no están de acuerdo en cuanto al origen de las diferencias: ¿se deben a la utilización de versiones refundidas del *Cantar*, o reflejan las modificaciones e invenciones individuales de los cronistas?

Aa10.1 Versión prosificada en la *Estoria de España*, según la conclusión de Menéndez Pidal en 1908 (1954-56: 126-30). La hipótesis fue puesta en duda por Russell en 1958, que sostiene que, cuando la *Estoria de España* se aparta del *Cantar* conservado, lo hace porque se apoya en la *Estoria del Cid* o *Estoria de Cardeña* (ahora perdida) que combina el *Cantar* con leyendas monásticas (1978: 77-83). La hipótesis de Russell se ve decisivamente confirmada por Diego Catalán:

> Después de considerar una por una todas las divergencias notables existentes entre el relato del *Mio Cid* copiado por Per Abbat y la Crónica alfonsí, me reafirmo en la creencia de que la *Estoria de España* tuvo aquí como fuente una redacción de la gesta idéntica a la conocida; sólo como excepción hallamos algún que otro caso en que la Crónica nos permite, quizá, restaurar un verso épico sin correspondencia en el manuscrito único del poema; pero tales versos pueden muy bien ser primitivos y faltar en la copia de Per Abbat por omisión o descuido. (Catalán 1963: 300-01)

Es verdad que Catalán parece vacilar en dos trabajos publicados en 1969, refiriéndose a "una prosificación anovelada de cierta **Refundición del Mio Cid*" (1969b: 140) y a "una **Refundición del Mio Cid* ya muy anovelada" (1969a: 431 = 146 de la reimpr.), pero no dice que haya cambiado de opinión, y es probable que las frases citadas se hayan conservado de redacciones anteriores de los trabajos. Chalon (1976: 242-43), Pattison (1983: 124-25) y Smith (1983: 415-16) están de acuerdo con Catalán (1963), y se diría que la hipótesis de Menéndez Pidal queda descartada, si no fuera porque Armistead la acepta todavía (1978: 321n17 —donde, sorprendemente, se refiere a Catalán como si éste estuviera de acuerdo—; 1986-87: 349). [GRW]

Aa10.2 Versión prosificada en una interpolación de dos manuscritos de (o derivados de) la *Estoria de España*. La interpolación consta de los caps. 896-963 en los mss. E_2 (Escorial X-I-4) y *F* (Salamanca, Univ. 2628), y según Catalán (1963: 206-15; 1969a: 431-33) en este caso el interpolador, trabajando en el reinado de Sancho IV, sí utiliza una refundición del *Cantar*. Chalon está de acuerdo (1976: 214-15), pero Pattison no (1983: 141-42).

Aa10.3 Versión prosificada en una interpolación del ms. *I* (Madrid, BN 10134 bis), interpolación redactada probablemente en el primer tercio del siglo XIV (Menéndez Pidal 1961: 160-63), que ofrece una versión distinta del viaje de Ximena y sus hijas desde Cardeña hasta Valencia. Para Menéndez Pidal se trata de una refundición del primitivo poema de Gormaz. Armistead habla cautamente de "a possible reflection of yet another poetic text" (1978:

322n17), pero Smith ofrece razones convincentes para rechazar la hipótesis (1983: 418-20).

Aa10.4 Versión prosificada en la *Crónica de los reyes de Castilla* (Menéndez Pidal 1954-56: I, 132-34; Armistead 1978: 321n17, y, para tradiciones del nacimiento del Cid, 1988: 223-24). Las pruebas ofrecidas para esta hipótesis son de dos tipos: la prosa asonantada en su narración del destierro del Cid, que según muchos investigadores nos proporciona los versos perdidos del principio del *Cantar* (véase Aa12, infra), y la presencia de episodios que faltan en el *Cantar*. Chalon, después de un estudio detenido (1976: 243-56), concluye que las diferencias entre el *Cantar* manuscrito y la *Crónica* se pueden explicar adecuadamente por la intervención del recopilador. Catalán dice que "buena parte de las novedades de la *Crónica de Castilla* no son poesía prosificada, sino prosa retórica, prosa novelesca" (1969a: 441), y Pattison está de acuerdo (1983: 122-26): la *Crónica* "is characterised by a strong tendency to expand" (122). Smith rechaza simultáneamente la hipótesis de un *Cantar* refundido como fuente de la *Crónica* (1983: 420-23). Armistead contesta a Pattison, insistiendo en las razones para aceptar la existencia de dicha refundición (1986-87: 349-50); se concentra en el primer episodio del *Cantar*, pasando por alto la argumentación de Catalán, Chalon y Pattison. La investigación más reciente, la de Montaner Frutos 1993b, revela que las aparentes series asonantadas en la prosa de la *Crónica particular del Cid* (extracto de la *Crónica de los reyes de Castilla*) no constituyen una base segura para la hipótesis de una refundición prosificada. Hay que concluir, por lo tanto, que es poco probable que la *Crónica de los reyes de Castilla* prosifique una refundición del *Cantar*.

Aa10.5 Version(es) reflejada(s) en romances, sobre todo "En Santa Águeda de Burgos" y "Tres cortes armara el rey" (Menéndez Pidal 1914: 364-66; Armistead 1978: 321n17; 1983: 379-80; Di Stefano 1988b). La argumentación de Armistead (1983) basta para demostrar que estos romances descienden del *Cantar de Mio Cid* y que ha habido una transformación bastante extensa. Lo que no demuestra es que la transformación se realizó en una refundición del *Cantar* en vez de en la tradición romancística (hipótesis convincente de Giuseppe di Stefano 1988b).

Aa10.6 Versión utilizada por Jerónimo de Zurita. En la primera edición de los *Anales de la corona de Aragón* (1562), Zurita se apoya en fuentes historiográficas para la vida y los hechos del Cid, quejándose de las discrepancias entre sus fuentes. Jules Piccus señala (1971) un curioso pasaje de la segunda edición de los *Anales* que salió en 1585, cinco años después de la muerte del autor):

> En una relación muy antigua de los sucesos y hazañas del Cid ninguna mención se hace [...] Y conócese notoriamente que el vulgo fue siempre añadiendo a sus hechos muy señaladas cosas que fuesen de admiración en sus cantares. (Piccus 1971: 383).

Concluye que Zurita utilizó una fuente poética que, por supuesto, no había conocido al redactar la primera edición. Los datos agregados por Zurita se corresponden mayoritariamente con lo que nos dice el *Cantar* existente, pero hay una diferencia significativa. Para Piccus, la combinación de esta diferencia con la alusión a una fuente poética indica la probabilidad de que Zurita haya manejado una versión del *Cantar* distinta de la que tenemos en el manuscrito. Su hipótesis pierde mucha de su fuerza a la luz de un descubrimiento de Alberto Montaner (todavía inédito, y comunicado en carta del 18 de septiembre de 1994): la "relación muy antigua" a la cual se refiere Zurita parece ser el *Linage de Rodric Díaz*, de fines del siglo XII (Ubieto Arteta 1964: 30-35). Los datos agregados por Zurita (Canellas López 1967: 81) corresponden a una sección del *Linage* (Ubieto Arteta 1964: 33) que se apoya en la *Historia Roderici* (Martin 1992: 62, 66 y 105; Martin 1993b: 189-90; Montaner 1993a: 604), pero, como demuestra Montaner, la coincidencia verbal entre el *Linage* y Zurita es tan estrecha que no hay duda de que la nueva fuente utilizada por éste es el *Linage*. La alusión de Zurita a los cantares del vulgo conserva su interés, y merece un estudio, pero ya no se puede atribuir al conocimiento por el historiador de una versión del *Cantar de Mio Cid* distinta de la del manuscrito existente. [AMF]

Aa10.7 Prosificación alfonsí del *Cantar*. Dos investigadores (Smith 1987a; Dyer 1992; en prensa: cap. 4, apart. B) concluyen que existió en el *scriptorium* alfonsí una versión completa en prosa, anterior a su utilización en la *Estoria de España*. Smith (1987a: 882) recuerda la demostración de Diego Catalán (1962: 19-23) de que el comienzo de las preparaciones para la *Estoria* se puede datar por los recibos que firmó el rey en febrero de 1270 al recibir de los monasterios de Albelda y Nájera libros que iban a servirle como fuentes. Sugiere que el empleo de traducciones en prosa de poemas latinos (la *Pharsalia* de Lucano, las *Heroides* de Ovidio) además de traducciones de la historiografía en prosa pueda haber estimulado al rey a utilizar prosificaciones de poemas épicos españoles. Es también posible, continúa, que los resúmenes extensos de poemas épicos en la historiografía francesa a partir de 1225 (cpse Uitti 1965) haya servido de precedente (por razones expuestas en Smith 1985, no acepta que la historiografía hispanolatina haya utilizado fuentes épicas, y por lo tanto no menciona la hipótesis —aceptada por la mayoría de los investigadores— de que los equipos alfonsíes hayan extendido una práctica ya establecida en la Península).

Si 1270 representa el *terminus a quo* para la prosificación del *Cantar* (denominada "A" por Smith), el *terminus ad quem* será 1272, la fecha de presentación al rey de la *Estoria del Cid* redactada en San Pedro de Cardeña (Smith 1987a: 886; explica de manera convincente, 871, que la *Estoria del Cid* no puede ser A). La mayor parte del artículo de Smith se dedica a una reconstrucción de A (basada en la comparación del *Cantar* con la *Crónica de veinte reyes* y la *Primera crónica general*): su estructura, sus omisiones, la materia que agrega al *Cantar* (principalmente tomada de la *Historia Roderici*), y sus cambios. Se trata efectivamente de una redacción en prosa, con sus propias características, que tiene su lugar en una lista de refundiciones del *Cantar*. Es de esperar que se publique pronto el trabajo de Dyer resumido en 1992, para que se comparen sus conclusiones, y las pruebas en las cuales se basan, con las de Smith.

La mayoría de las refundiciones que se han postulado, igual que las supuestas versiones primitivas, carecen de pruebas satisfactorias, y a menudo investigadores de formación muy distinta (Diego Catalán, Louis Chalon, D.G. Pattison) coinciden en que las diferencias entre una narración cronística de los hechos del Cid y el texto existente del *Cantar* se explican mejor por la intervención creadora del cronista. Esto puede sorprender, ya que las refundiciones son normales en la literatura tradicional, como dice Armistead en su defensa elocuente de la tradicionalidad (1986-87: 342-43n9). Una posible explicación es que el *Cantar de Mio Cid* es un poema de autoría culta, con características poco comunes, aunque se destinaba a la transmisión juglaresca. Es razonable suponer que un poema de este tipo se prestaría mucho menos a la refundición que un poema épico compuesto oralmente, como *Los siete infantes de Lara*.

Aa11 *Cantar de Sancho II* (segunda versión)

El *Cantar* prosificado en la *Estoria de España* y en la historiografía posterior (Chalon 1976: 277-352; Pattison 1983: 101-14) difiere mucho del resumido en la *Chronica Najerensis* (Fraker 1974; nótese, sin embargo, que cree ahora, 1990: 12, que la diferencia entre las dos versiones es mucho menor de lo que había sostenido). De la *Crónica de veinte reyes* aprendemos el título del poema, y (como en el caso del *Romanz del infant García*, Aa6, supra), el cronista contrasta lo que dice la historiografía hispanolatina con la versión poética:

> Mas commo quier que en el cantar del rrey don Sancho diga que luego fue sobrel rrey don García, fallamos en las estorias verdaderas que cuenta ý el arçobispo don Rrodrigo, e don Lucas de Túy, e don Pero Marques, cardenal de Santiago, que ovieron sabor de escudriñar las estorias por contar verdaderamente la estoria d'España, que sobre el rrey don Alfonso fue luego que estava en comedio, e ésta fue la verdat. (IX.7; Ruiz Asencio & Herrero Jiménez 1991: 183a)

La cadena de venganza y contravenganza es mucho menos acusada que en la primera versión, y se atenúan las sugerencias de un amor incestuoso entre la infanta Urraca y su hermano Alfonso, sustituidas ahora por las de un amor de juventud entre Urraca y Rodrigo Díaz, el futuro Cid (Armistead 1957-58). Como nota Entwistle (1947-48: 121), el personaje de Rodrigo ahora revela la influencia de la representación del héroe maduro y dominante del *Cantar de Mio Cid:*

> Roy Díaz el Cid quandol vio assí foýr, preguntol por qué fuýe, et [Vellid Adolffo] non le quiso dezir nada nil respondió. El Cid entendió estonces que nemiga avié fecho, o por ventura que matara al rey el que assí yva fuyendo, ca era Vellido muy su privado del rey assí que se nunqua partié déll. Et demandó el Cid el cavallo a grand priessa; et demientre que gelo davan, alongosse Vellid Adolffo. Et con la grand cuyta que el Cid avié de su sennor, luego que tovo la lança, fue su vía tras Vellido a poder de cavallo que sol non atendió quel pusiessen las espuelas.
> (Menéndez Pidal 1955: 511ab)

Es probable que la segunda versión se haya compuesto en la primera mitad del siglo XIII, ajustándose al naciente ciclo cidiano. Ha habido tentativas de reconstruir versos de la prosa de la *Primera crónica general:*

> que guisase su companna de armas e de cavallos
> et fuese cercar Çamora quando entrase el berano;
> ..... fuesen todos ayuntados
> cavalleros e peones el primer día de Marҫo.
> (Reig 1947: 91)

y de la *Crónica particular del Cid:*

> ...... vio cómo estava bien asentada
> del un cabo le corría Duero et del otro penna tajada.
> Et dixo a sus cavalleros desque la hovo mesurada:
> "Non ha moro nin cristiano que le pueda dar batalla
> et si yo ésta hoviese sería sennor de Espanna."
> (Reig 1947: 105)

Para lo problemático que son tales reconstrucciones, véase Aa8, supra.

Después de la composición de la *Gesta de las mocedades de Rodrigo*, la necesidad de un enlace entre ésta y *Sancho II* se habría cumplido con *Fernando par de emperador* (Aa13), y *La jura de Santa Gadea* (Aa16) habría enlazado *Sancho II* con el *Cantar de Mio Cid*. Para diversos aspectos de la segunda versión, véanse Entwistle (1933: 358-60), Menéndez Pidal (1945: 54-74 y 131-32; 1992: 531-51), Reig (1947), von Richthofen (1954:130-34), Fradejas Lebrero (1963), Deyermond (1976: 293-96), Vaquero (1990c: 85-98) y Martin (1993a: 25-27). Varios aspectos de la tradición posterior se tratan en Caso González 1965 y Montaner Frutos 1989b. Se han postulado varias refundiciones de esta versión:

Aa11.1 Versión prosificada en la *Crónica de los reyes de Castilla* (Armistead 1978: 322n18. Cpse Reig 1947: 101-13; Chalon 1976: 336-40; Pattison 1983: 104-07; Vaquero 1990c: 71-73 y 81).

Aa11.2 Version(es) en que se inspiran los romances "Ya cabalga Diego Ordóñez" y "Rey don Sancho" (Armistead 1978: 322n18. Cpse Vaquero 1992: 81 & 83).

Aa11.3 Versión de la cual provienen fragmentos incluidos en Fray Juan Gil de Zamora, *De preconiis civitatis Numantinae* (sólo como posibilidad, Armistead 1978: 322n18).

Aa11.4 Version(es) utilizada(s) en la historiografía del siglo XV y principios del XVI. Mercedes Vaquero analiza nueve obras (1990c: 76-96 y 101-05): el *Sumario de los reyes de España por el Despensero Mayor de la Reyna doña Leonor* (antes de 1404); la *Traducción interpolada del Toledano* (h. 1454); el arreglo del *Sumario* (1460-70); Lope García de Salazar, *Libro de las bienandanzas y fortunas*; Diego de Valera, *Crónica abreviada;* Diego Rodríguez de Almela, *Valerio de las ystorias eclesiásticas de España* y su *Compendio historial*; el arreglo de éste (1504-16); *Memorial de ystorias*.

Aa12 *Destierro del Cid*

La mayoría de los investigadores —por ejemplo, Samuel G. Armistead (1983-84; 1986-87: 349-50) y Alberto Montaner (1993a: 377-78)— aceptan la hipótesis de Menéndez Pidal (1954-56: III, 1020-25), hipótesis publicada por primera vez en 1911: sostiene que la pérdida de la primera hoja del manuscrito único del *Cantar* nos privó de los primeros versos, cuyo contenido —y finalmente las palabras mismas— se puede restaurar gracias a la prosificación contenida en la *Crónica de los reyes de Castilla:*

"e los que conmigo fuéredes de Dios ayades buen grado,
e los que acá fincáredes quiérome ir vuestro pagado."
Entonces fabló Álvar Fáñez su primo cormano:
"Convusco iremos, Cid, por yermos e por poblados,
ca nunca vos fallesceremos en quanto seamos bivos e [sanos;
convusco despenderemos las mulas e los cavallos
e los averes e los paños
siempre vos serviremos como leales amigos e vasallos."
Entonce otorgaron todos quanto dixo don Álvaro;
mucho gradesció mio Cid quanto allí fue razonado...
Mio Cid movió de Bivar pora Burgos adeliñado,
assí dexa sus palacios yermos e desheredados.
(Menéndez Pidal 1954-56: III, 1025)[19]

Armistead ofrece una reconstrucción que difiere ligeramente de la de Menéndez Pidal, y añade un verso al final:

las perchas sin açores, los portales sin estrados.

[19] Incluso D.G. PATTISON, menos dispuesto en general a aceptar las hipótesis neotradicionalistas, se inclina a aceptar ésta (1983: 116-17 y 124 —aunque no sostiene que estas líneas de la *Crónica de los reyes de Castilla* provengan necesariamente de una refundición del *Cantar*— véase Aa10.4, supra).

y Montaner (en prensa a), después de un cotejo de los pasajes correspondientes de la *Crónica de los reyes de Castilla*, la *Estoria de España* (versión vulgar, de Salamanca, Biblioteca Universitaria, ms. 2628) y la *Crónica de veinte reyes*, ofrece —recordándonos "los amplios márgenes de error que conlleva cualquier *desprosificación* de este tipo"— una nueva reconstrucción, enmendando unos versos y añadiendo cinco al principio:

> Enbió el Cid por sus amigos e sus parientes e sus vasallos,
> en cómmo le mandava el rey sallir de su reinado
> e que.l non dava más de nueve días de plazo.
> "Quiero saber de vós, amigos e vasallos,
> cuáles queredes ir comigo e cuáles seredes fincados[20];

Su presentación sinóptica "permite apreciar que las tres versiones [cronísticas] coinciden en el contenido, por más que conserven con desigual fidelidad los vestigios poéticos". Recordándonos que, según la demostración de Di Stefano (1988b), la parte final de la versión manuscrita del romance "En Santa Águeda de Burgos" corresponde al inicio del *Cantar de Mio Cid* existente, Montaner concluye:

> el pasaje que abre el poema cidiano se conservó poco alterado en la tradición tardía y sugiere, por lo tanto, que la versión anterior transmitida por las crónicas debe de ser semejante (por no decir idéntica) a la del folio perdido del manuscrito de Vivar.

La argumentación de Montaner es concluyente en lo que se refiere al origen poético de este pasaje de las tres crónicas. Sin embargo, hay buenas razones para creer que los primeros versos actuales constituyen el comienzo auténtico del *Cantar* —sobre todo, lo impresionantes que son como comienzo (véase Pardo 1972)—. Pero, ¿cómo explicar la semejanza de

[20] Las enmiendas que propone afectan al segundo hemistiquio del verso 3 de la reconstrucción pidaliana ("a guisa de menbrado" en vez de "su primo cormano", al verso 9 (sustituido por "Lo que dixo Álvar Fáñez todos lo otorgaron") y al verso 12 (sustituido por "cuando dexó sus palacios sin gente e deseredados").

contenido entre la *Crónica* y los primeros episodios del *Cantar*, y la asonancia en la prosa de aquélla? Brian Powell resuelve el problema al sugerir que quizás hubiera un corto poema épico sobre los móviles del destierro del héroe y el destierro mismo (1988). No es seguro, pero es muy posible que tenga razón (véase Smith 1992). Si fue así, la tradición cronística habría utilizado el *Destierro del Cid* para suplir lo que el poeta del *Cantar de Mio Cid* habría dejado a la imaginación de su público.

Estas cuestiones se relacionan inevitablemente con las que se refieren a la *Jura de Santa Gadea* (Aa16, infra); véanse, por lo tanto, los estudios de Di Stefano (1988b) y Vaquero (1990a).

Aa13 *Fernando par de emperador (Cantar de Fernando el Magno, Cantar de la partición de los reinos)*

La *Crónica de veinte reyes*, la *Crónica de Castilla* y la *Crónica de 1344* contienen una narración extensa de la partición de los reinos entre los hijos de Fernando I, y de la muerte de éste. La *Estoria de España* ofrece una versión muy distinta y mucho más corta (Menéndez Pidal 1955: cap. 813). Para Menéndez Pidal la *Crónica de veinte reyes* y las otras prosifican un poema épico perdido, y por eso lo incluye en las *Reliquias* (1951: 240-56; en esta sección colaboró Elvira Díaz Guardamino). No hay duda alguna de que las crónicas empleen, directa o indirectamente, una fuente poética, y es razonable concluir que dicha fuente fue épica (no es éste el lugar apropiado para tratar las relaciones complejas entre las crónicas que descienden de la *Estoria de España*). Aunque es posible que una frase, "Algunos dizen en sus cantares que avía el rrey don Ferrando un fijo de ganancia que era cardenal en Rroma [...]" (*CVR*, VIII.14; Ruiz Asencio et al. 1991: 173a; Menéndez Pidal 1951: 242), se refiera a canciones satíricas, otra frase no tiene ambigüedad:

> Dizen aquí el arçobispo don Rrodrigo de Toledo e don Lucas de Túy e Pero Marcos, cardenal de Santiago[21] [...] E commo quier que ésta sea la verdat que estos onrrados omnes dizen, fallamos en otros lugares e en el cantar que dizen del rrey don Ferrando [...] (VIII.14; Ruiz Asencio et al. 1991: 173b; Menéndez Pidal 1951: 243).

Varios investigadores se han ocupado de la fuente épica de la *Crónica de veinte reyes* y las otras crónicas. Además de Menéndez Pidal 1951, véanse Babbitt 1936: 57-63; Garrido 1967-68; Pattison 1983: 89-90 y 93-101; Powell 1983: 44 y 61-62; Powell 1984; Muñoz Cortés 1987; Fraker 1990. Sus conclusiones son diversas, desde luego —por ejemplo, Babbitt cree (1936: 63) que la *Estoria de España* utiliza el *Fernando par de emperador*, idea que no ha hecho fortuna en la investigación posterior—, pero todos están de acuerdo en que hubo un *Fernando* que sirvió de fuente a la *Crónica de veinte reyes* y a varias crónicas del siglo XIV. Mercedes Vaquero (1990b: 285-86) sostiene que el protagonista principal del poema no es Sancho sino Alfonso.

Joanne B. Purcell (1976) demuestra que del *Fernando* desciende una vigorosa tradición de romances, que rastrea en los romanceros impresos del siglo XVI, en los romances orales recogidos en la primera mitad del siglo XX y conservados en el Archivo Menéndez Pidal, y en romances de Madeira y los Azores, de su propia cosecha. Sus investigaciones vienen confirmadas por la recogida en Madeira en 1990, por Maria-João Câmara Fontes, de un romance sobre la muerte de Fernando I que combina tres romances antiguos, y que corresponde a pasajes del *Cantar de Sancho II* prosificados en la *Crónica de veinte reyes* y la *Crónica de 1344* (Costa Fontes 1992).

21 Para este historiador misterioso, véase POWELL 1984: 470n21.

La mayoría de los investigadores sostienen que se trata de un episodio de enlace entre la *Gesta de las mocedades de Rodrigo y el Cantar de Sancho II*, episodio compuesto a fines del siglo XIII o principios del XIV, y es muy probable que tengan razón. Nótese, sin embargo, la opinión de Colin Smith: "Con el tiempo, el *Cantar del rey don Fernando* [...] fue refundido como poema independiente" (1985a: 176), y la de Powell: "the *Partición* [en la *Crónica de veinte reyes*] is neither simply the beginning of the [*Cantar de Sancho II*] nor just a separate [*Cantar del rey Fernando*]. It is both of these things, partially, and more besides. [...] it demonstrates that there were several versions of the same events in existence at the same time, and available to the compilers of the chronicles" (1984: 468). Carlos Alvar concluye su breve pero sustancioso comentario (1988: 64-65) con la enumeración de tres hipótesis (poema independiente, episodio de enlace, introducción histórica), diciendo que "En el estado actual de los estudios cualquiera de estas opciones cuenta con argumentos válidos, aunque no unívocos y convincentes".

Aa14 *Gesta de las mocedades de Rodrigo* (primera versión)

Hay alusiones en la *Estoria de España* que demuestran que la *Gesta* ya existía al empezar el último tercio del siglo XIII (Armistead 1974, corrigiendo a Deyermond 1969: 10-12; cpse Pattison 1983: 81-82). Es conveniente retener la terminología establecida por Armistead en su primer estudio del tema (1955), o sea, utilizar el título *Mocedades de Rodrigo* para el poema épico existente y *Gesta de las mocedades de Rodrigo* para su(s) predecesor(es) perdido(s). Posteriormente Armistead, por razones tácticas, empezó a referirse al poema existente como *Refundición de las mocedades de Rodrigo* (título utilizado, entre otros, por Menéndez

Pidal 1957: 315) y a su(s) predecesor(es) como *Mocedades de Rodrigo*.

Aa15 *Gesta de las mocedades de Rodrigo* (segunda versión)

La primera redacción continua se encuentra en la *Crónica de los reyes de Castilla*, hacia 1300, con materia adicional en la *Crónica de 1344*, y si refleja una segunda versión del poema épico es probable que se haya compuesto no mucho antes de finales del siglo XIII. El estudio clásico es el de Armistead (1955, ampliada por su análisis de la estructura de la *Gesta*, 1963-64; véase también 1988: 219-20). A veces la prosa de la *Crónica de los reyes de Castilla* coincide estrechamente con versos del poema existente; por ejemplo:

> E juró luego en sus manos, que nunca se viese con ella en yermo nin en poblado, fasta que venciese cinco lides en canpo. (Armistead 1963-64: 341).

> mas prométolo a Christus que vos non besse la mano,
> nin me vea con ella en yermo nin en poblado,
> fasta que venza cinco lides en buena lid en canpo.
> (versos 439-41; Menéndez Pidal et al. 1951: 270)

La obvia explicación —y la única adecuada— es que tanto las palabras de la *Crónica* como las de las *Mocedades de Rodrigo* provienen de la *Gesta*, en el primer caso por prosificación (proceso que incluye aquí la transformación del habla directa a la indirecta) y en el segundo por refundición. Esperamos con impaciencia el libro de Armistead, *The Spanish Epic and Individualist Theory: Studies on the "Mocedades de Rodrigo"*, anunciado hace unos años (Armistead 1988: 219n). Hay otros estudios de las secciones derivadas de la *Gesta* en las crónicas por Chalon (1976: 369-78) y Pattison (1983: 81-91). Véase también Deyermond (1969: 10-15 y 289). El análisis perspicaz de Montaner Frutos (1988) demuestra, sin embargo, que no es seguro que la *Estoria de España* represente una versión distinta de la que se incluye en la *Crónica de los reyes de Castilla*. Lo que sí parece muy probable es que una refundición de la versión incluida en la *Crónica de los reyes de Castilla* fue el antecesor, directa o indirectamente, del texto existente de las *Mocedades* (Thomas Montgomery demuestra (1982-83) que el texto de dicho poema incluye capas derivadas de al menos una etapa anterior de la evolución poética del tema), de las secciones correspondientes de varias obras historiográficas, y de unos romances (y por lo tanto antecesor remoto de, sucesivamente, *Las mocedades del Cid* de Guillén de Castro, de *Le Cid* de Pierre Corneille y de la película *El Cid*). Vale la pena notar de paso que la conexión entre crónicas y épica no se restringe a las prosificaciones: el manuscrito único de las *Mocedades* constituye la última parte de un códice (París, BN, ms. esp. 12) cuyo contenido principal es la *Crónica de los reyes de Castilla*.

Armistead enumera (1978: 26-27) versiones posteriores a las *Mocedades*, pero derivadas, como ya queda dicho, de la *Gesta:*

Aa15.1 Versión de la cual provienen los trozos prosificados incluidos en el *Libro de las bienandanzas e fortunas* de Lope García de Salazar (Armistead 1973).

Aa15.2 Versión de la cual provienen los resúmenes de varios episodios que se interpolan en la revisión anónima del *Compendio historial* de Diego Rodríguez de Almela (Armistead 1963; 1988: 225-28).

Aa15.3 Version(es) reflejadas en seis romances del siglo XVI (Menéndez Pidal 1953: I, 219-21.

Aa15.4 Versión de la cual provienen versos de un romance sefardí de Marruecos, del siglo XX (Armistead & Silverman 1964).

El problema, como siempre, es el de saber cuándo una variante procede de una refundición épica, y cuándo se debe a la iniciativa de un cronista o de un poeta de romances. Como regla general se puede suponer que la probabilidad de una descendencia directa de la épica disminuye progresivamente al alejarnos del siglo XIV; pero se trata tan sólo de una hipótesis, no de una certidumbre.

Aa16 *La jura de Santa Gadea*

La primera alusión cronística a la jura que impone Rodrigo Díaz en Alfonso VI se encuentra en 1236, en el Tudense. Hay una prosificación bastante extensa, pero sin asonancia, en la *Primera crónica general* (cap. 845):

> Cuenta la estoria que quando el rey don Alffonso vio que Roy Díaz el Cid non le querié besar las manos como todos los otros altos omnes et los prelados et los concejos fizieran, que dixo assí: "Amigos, pues que vós todos me recibiestes por sennor et me otorgastes que me dariedes cibdades et castiellos et todo lo ál, que mío era el regno, quería que sopiéssedes por qué me non quiso besar la mano mío Cid Roy Díaz, ca yo fazerle ýa algo, assí como lo prometí a mío padre el rey don Fernando quando nos le comendó a mí et a míos hermanos." Quando el rey don Alffonso dizié estas palabras a la corte, oyélas Roy Díaz mío Cid, et levantosse estonces et dixo: "Sennor, quantos omnes vós aquí vedes, pero que ninguno non vos lo dize, todos an sospecha que por vuestro consejo fue muerto el rey don Sancho; et por ende vos digo que si vos non salvaredes ende, assí como es derecho, que yo nunqua vos bese la mano." (Menéndez Pidal 1955: 519a)

Pattison demuestra que la *Crónica de los reyes de Castilla*, en cambio, conserva bastantes asonancias, y reconstruye algunos versos:

> "Rey don Alfonso, vós venides jurar por la muerte
> del rey don Sancho vuestro hermano
> que nin lo matastes nin fuestes en consejarlo.

Dezid: 'Sý, juro', vós e esos fijos dalgo."
Et el rrey e ellos dixieron: "Sý, juramos."
"Sy non, tal muerte murades qual murió vuestro her-
[mano:
villano vos mate que non sea fijo dalgo;
de otra tierra venga que non sea castellano."
"Amén", respondió el Rey e los doze fijos dalgo.
(1983: 105-06)

Armistead aumenta la importancia del descubrimiento de Pattison al notar que la prosa de la *Crónica* coincide en parte con versos de un romance:

Villanos te maten, Alonso, villanos que no hijos dalgo,
de las Asturias de Oviedo, que no sean castellanos.
(1986-87: 347-48)[22].

La relación entre este romance (la versión de "En Santa Águeda de Burgos" contenida en el manuscrito Egerton 1875 de la British Library; cpse Aa10.5, supra), la *Jura* épica y la prosa de las crónicas queda aclarada en el estudio de Giuseppe di Stefano, el cual subraya "la divergencia del *Romance* frente al relato poético-cronístico" (1988: 157), y termina refiriéndose a "algo que sí es innegable y concreto, o sea la coherente intencionalidad que el *Romance* ms. con sabia orquestación hace resonar en todas sus partes" (1988: 158).

Jules Horrent estudia magistralmente (1961) la evolución de la historia. No hay duda alguna de que hubo un texto poético de la *Jura*; el único punto controvertido es si constituyó la última parte del *Cantar de Sancho II* (segunda versión), como creen Menéndez Pidal (1945: 65-67) y Charles F. Fraker (1974), o si

22 Es lástima que Armistead lea mal las páginas de Pattison y por lo tanto le acuse de negar que el pasaje de la *Crónica* provenga de una fuente épica. Pattison dice que:

> Sometimes the expansion is such as to introduce new narrative elements [...]. They may represent elements deriving from the *Cantar* [...]: the poetic nature of the section describing the oath at Santa Gadea makes it certain that this is the explanation in that instance, and it may equally apply in others. (106-07)

—como concluye Horrent, seguido por Louis Chalon (1976: 283-86 y 329-32; 1982)— se compuso como poema semi-independiente, episodio de enlace entre *Sancho II* y el *Cantar de Mio Cid*. Ya no parece encontrar partidarios la opinión de Julio Puyol y Alonso (1911: 28), de que se trata del primer episodio, ya perdido, del *Cantar de Mio Cid* (cpse Aa10.4 y Aa12, supra). En el estudio más reciente, Mercedes Vaquero concluye (1990a) que la historia de la Jura se originó como la conclusión de un *Cantar de Sancho II* prozamorano (cpse Vaquero 1990c: 73-75), es decir, de una refundición del primer Cantar (Aa3, supra)[23]. Concluye también que dicho episodio refleja la tradición del Cid como vasallo rebelde. Un problema que no ha resuelto todavía es que el papel dominante del Cid en la *Jura* es característico del segundo *Cantar de Sancho II* (véase Aa11, supra) y ajeno al primer *Cantar*.

Sea cual sea el origen de la *Jura* —episodio final del *Cantar de Sancho II* o episodio de enlace entre *Sancho II* y el *Cantar de Mio Cid*—, tiene que ser posterior a la composición de éste (véase Entwistle 1947-48: 121), y si dicha composición se realizó hacia 1207, es lógico suponer que la *Jura* se habría compuesto a fines del primer cuarto del siglo XIII (Horrent (1961: 265), que propone una composición más temprana del *Mio Cid*, da 1200 como fecha aproximada de la *Jura*). Véanse también Pattison (1983: 105-07) y Powell (1983: 29-30).

No se ha postulado una serie de refundiciones de la *Jura*: dice Chalon que "un examen des refontes de la PCG ne permet pas de déceler dans la tradition épique des XIIIe et XIVe [siècles] des remaniements importants

[23] VAQUERO descubrió en un *Memorial de ystorias* inédito (Roma, Bibl. Casanatense, ms. 396), del reinado de los Reyes Católicos, un detalle —la jura sobre una ballesta y un cerrojo— que se había notado en algunos romances, que según Menéndez Pidal es tardío y erudito; concluye ella que su aparición en el *Memorial* demuestra su procedencia de la tradición oral (1990a: 70-71).

de cet épisode" (1982: 1219). Su pervivencia en otros géneros y en siglos posteriores fue, sin embargo, impresionante (Chalon 1982: 1220-22).

Aa17 *Meo Cidi* (poema(s) del siglo XII)

> Ipse Rodericus, Meo Cidi sepe uocatus,
> de quo cantatur quod ab hostibus haud superatur,
> qui domuit Mauros, comites domuit quoque nostros,
> hunc extollebat, se laude minore ferebat. (Gil 1974: 58)

Los conocidísimos versos 233-36 del *Poema de Almería* (hacia 1148) nos dicen con toda claridad que a mediados del siglo XII se cantaban las proezas del Cid. Es posible que sea una alusión al *Carmen Campidoctoris* (su contenido podría resumirse en los versos 234-35), y sería natural que un poema laudatorio en latín aludiera a otro), pero esta hipótesis —apoyada por Ian Michael (1992: 76) y Georges Martin (1993b: 184-85)— nos obliga a separar el apodo vernáculo "Meo Cidi" del canto latino[24]. Es posible (como proponen Antonio Ubieto Arteta 1972: 30 —anticipando parcialmente a Rico 1975— , y luego Roger Wright 1982: 232-33 y Colin Smith 1985a: 85-86) que el *Poema de Almería* aluda a breves canciones de forma lírica, análogas a "Cantan de Roldán, / cantan de Olivero [...]" (véase Aa19, infra), pero es difícil creer que el contenido resumido aquí cupiera dentro de una canción de este tipo[25]. Roger

24 WRIGHT acepta la probabilidad de que Arnaldo de Astorga, verosímilmente el autor del *Poema de Almería*, haya conocido el *Carmen Campidoctoris*, y la posibilidad de que sus palabras aludan en parte a él, pero reconoce que dicha hipótesis no explica la mención del apodo (1982: 232). El resumen de las opiniones de Wright dado por MICHAEL (1992: 76) no es, por lo tanto, adecuado.

25 SMITH, olvidándose de la sugerencia de Ubieto Arteta (yo también la había olvidado, hasta que Alberto Montaner Frutos me la recordó), propone la hipótesis de nuevo y con mucho más detalles. Dice que:

> Las canciones paralelísticas tienen la capacidad de desarrollarse infinitamente a medida que continúa la construcción "en cadena" [o sea, con *leixa-pren*]: en esta canción, pues, en otras estrofas "Çorraquín Sancho" podría ser rima, y luego con inversión y rima nueva, "Sancho

Wright sostiene (1990, matizando su opinión de 1982, ya aludido) que lo que precedió el *Cantar* fue un grupo de romances, hipótesis no muy distante de la de Brian Powell sobre "short compositions" (1988: 350), y que el poeta del *Cantar* quiere corregir la impresión dada por dichos romances del Cid como un "rebellious brat" (1990: 34). Wright coincide en este aspecto con el estudio simultáneo de Mercedes Vaquero (1990a) que sugiere que quizás hubiera un poema sobre el Cid como vasallo rebelde, poema anterior al *Cantar;* véanse los reparos de Smith (1994: 631)[26].

La hipótesis que me parece preferible es la de una alusión a un poema épico (o más) en castellano. Pero ¿poema(s) de qué tipo? La gran mayoría de los investigadores que aceptan que hubo un poema épico sobre el Cid a mediados del siglo XII están convencidos de que fue una versión primitiva del *Cantar de Mio Cid*, o incluso el *Cantar* tal como lo tenemos en el manuscrito existente (véase Aa9, supra). Es lo que creyó Menéndez Pidal, y lo dicen, de diversas maneras y con énfasis distintos, Jules Horrent (1973), Salvador Martínez (1975: cap. 8), Joseph J. Duggan (1989: 128-31 y 134) y muchos otros. Entre las aportaciones más recientes, hay que destacar los artículos eruditos y elocuentes de Francisco Rico (1985; 1993); Rico nos promete un libro sobre *El primer siglo de la literatura española*. Ian Michael reacciona tajantemente contra dicha interpretación: "El verso que menciona: 'Ipse Rodericus, Meo Cidi, de quo cantatur' que se cita *ad nauseam*, no puede de ninguna manera interpretarse como prueba de la existencia para aquella fecha del

---

Çorraquín". Quizá, dos o tres estrofas más exponían en forma breve su hazaña. La canción sobre el Cid aludida por el poeta de Almeria bien pudo haber tenido esta forma. (1985: 85).

26 MONTANER ofrece (en prensa b) un nuevo análisis de las palabras tan citadas y de sus implicaciones.

Poema de Mio Cid o una versión anterior de él" (1992: 75). Además, queda en pie el problema aludido al final de Aa9, el problema constituido por la acusada diferencia entre el *Cantar de Mio Cid* y la épica medieval en general. Me parece mucho más probable que *Meo Cidi* (adopto como título la forma del apodo que nos da el *Poema de Almería*) —un poema o varios— fuera distinto del *Cantar de Mio Cid*, y más parecido a los otros poemas épicos castellanos. Podría muy bien ser una de las fuentes utilizadas por el poeta del *Cantar* (cpse Montaner 1993a: 10-11). Georges Martin sostiene (1993b) que *Meo Cidi* fue poema navarro. Se apoya en un análisis de documentos y de textos historiográficos, del cual resulta que el apodo "Mio Cid" se generalizó primero en Navarra. Resulta claro, a la luz de los datos que recoge, que la primera aceptación historiográfica del apodo fue navarra, pero parece inverosímil que se hubiera originado allí. Siendo de origen árabe, es muy probable —como sostiene Montaner (1993a: 379, 398 y 604-05)— que "Mio Cid" se haya originado en la etapa valenciana de la vida del héroe, y es lógico suponer que se difundió en los reinos cristianos desde San Pedro de Cardeña, donde se fomentó el culto del Cid a partir del traslado de sus restos. En su énfasis sobre el papel decisivo de Cardeña, Montaner coincide con las conclusiones a las cuales llegaron por otros caminos P.E. Russell (1978b) y Colin Smith (1976; 1980; 1982; 1985b). [AMF]

Poemas rolandianos y anti-rolandianos (Carlomagno en España)

Aa18 Bernardo del Carpio

La primera alusión se encuentra en el Tudense (1236; véase Reilly 1976: 129), pero tanto él como el Toledano (1243) se contentan con resúmenes muy breves. No hay narración extensa antes de la *Estoria de España*, donde la leyenda de Bernardo se distribuye a lo largo de muchos capítulos (617, 619, 621, 623, 648-52 y 654-56), en algunos de los cuales constituye el asunto principal o único, mientras que en otros se menciona brevemente. Los aspectos más notables son, primero, el entrelazamiento de una historia de sexualidad ilícita, su castigo, y la consecuente rebelión del hijo de los amoríos contra el rey, con una versión anticarolingia de la batalla de Roncesvalles (*Estoria de España*, cap. 619); segundo, la división de la historia entre los reinados de dos Alfonsos, con veinte años de intervalo; y las dos versiones del nacimiento de Bernardo. La *Primera crónica general* empieza su narración así: "donna Ximena, su hermana [de Alfonso el Casto] casóse a furto dél con el conde San Díaz de Saldanna; et ovieron amos un fijo a que dixieron Bernaldo" (Menéndez Pidal 1955: II, 350a), pero el capítulo concluye:

> Et algunos dizen en sus cantares et en sus fablas que fue este Bernaldo fijo de donna Timbor hermana de Carlos rey de Francia, et que viniendo ella en romería a Santiago, que la convidó el conde San Díaz et que la levó pora Saldanna, et que ovo este fijo en ella, et quel recibió el rey don Alfonso por fijo [...] (351a)

No es ésta la única vez que el equipo alfonsí nos ofrece dos versiones incompatibles de una leyenda épica (véase, por ejemplo, Aa6, supra), pero lo realmente interesante es que en este caso la segunda versión, que se atribuye explícitamente a una fuente oral, recuerda la tradición del incesto de Carlomagno (véase Lejeune 1961), asociando de este modo a Bernardo —el anti-Rolando— con su adversario francés. Pattison comenta que la narración de la *Estoria de España* "is an unsuccessful attempt to harmonise different sources" (1983: 13), y asocia el problema con el cambio en la calidad del ms. Escorial X-I-4. A continuación analiza las maneras en las cuales los cronistas posteriores reaccionan frente a las contradicciones de las fuentes (Pattison 1983: 17-21), y nota que la *Refundición toledana* (o *Estoria de los godos*) tiende a eliminarlas (21-22). (Por su parte, von Richthofen (1970: 37-46) coloca el problema dentro del contexto de otros casos parecidos en las relaciones épicas franco-hispanas.) La hipótesis más probable es que hubiera dos tradiciones épicas, como sostiene Theodor Heinermann (1927). La primera sería la de un drama familiar con desenlace trágico:

> Allí se razonó otrossí el rey respondiéndol: "[...] si vós quisiéredes que ayamos paz et vós yo dé vuestro padre, dadme vós las llaves del Carpio et apoderatme déll." Bernaldo, quando aquello oyó, besole la mano, et fue muy alegre por ello, et diole luego las llaves del castiello. El rey mandó estonces a [...] cavalleros de su mesnada que fuessen por el conde San Díaz [...]. Et quando llegaron a León, fallaron por nuevas que tres días avié ya que era muerto el conde. [...] Et algunos dizen en sus romances et en sus cantares que el rey, quando lo sopo, mandó quel fiziessen bannos et quel bannassen en ellos por quel ablandesciesse la carne, et quel vistiessen de buenos pannos, et quel pusiessen en un cavallo vestido de una capapiel de escarlata [...]. El rey mostrógele. Bernaldo fue estonces pora éll et besole la mano, mas quando ge la falló fría, yl cató a la faz, vio como era muerto. (Menéndez Pidal 1955: 375ab)

La segunda sería la historia de Bernardo en Roncesvalles. Según Heinermann, el poema se habría inspirado en tradiciones épicas francesas, y la madre de Bernardo es Timbor, conclusión apoyada por Menéndez Pidal et al. (1953-57: I, 143-47) pero controvertida por Jules Horrent (1951a: 467-69). Para Horrent, el drama familiar, con la furia del rey, necesita una relación sexual entre el conde San Díaz y una dama española, parienta del rey. Es difícil solucionar este problema, ya que las crónicas y los romances, a pesar de ofrecernos indicaciones claras de la existencia de dos tradiciones, no nos permiten ver con claridad la distribución de elementos narrativos entre las mismas[27]. (Sobre ésta y otras cuestiones, véanse, además de Heinermann 1927, los trabajos de Entwistle 1928a, Franklin 1937 —curiosamente, parece ignorar el artículo de Entwistle—, Horrent 1951a: 427-36, 462-83 y 495-502, Pattison 1983: 11-22 y Webber 1991: 340-41.) Un tema muy interesante de la investigación reciente es el análisis ideológico-histórico (Martin 1993a: 23-25; Vaquero 1993 y 1994: 154-61). Vaquero sostiene que *Bernardo del Carpio* no trata principalmente de una riña familiar sino de un vasallo rebelde (1994: 156-58), comparable al histórico Pedro Fernández de Castro, de fines del siglo XII y principios del XIII.

De todos modos, parece que las dos tradiciones se habrían entremezclado antes de la redacción de la *Estoria de España*, y tal vez antes del Tudense. Franklin sostiene que hubo cantares sobre Bernardo en el siglo X como más tarde (1937: 302), e hipótesis algo parecida es la de José Fradejas Lebrero (1988: 78-82, desarrollando las ideas de Abadal 1955:

> los hechos históricos [debieron] causar la creación —ya frecuente— de canciones o cantilenas que enaltecieran, popularmente, a Bernardo de Ribagorza por sus hechos bélicos y su piedad (pseudo fundación de Ovarra por él y su mujer. [...] En esos comienzos del siglo XI ya Bernardo de Ribagorza era un ser popular —en boca de todas las gentes— y admirado por los [...] monjes, que habían de hacer de él un ser heroico y prototípico. (1988: 78)

27 Según Ramon D'ABADAL I DE VINYALS (1952) y Antonio UBIETO ARTETA (1981: 135-40) hubo un poema aragonés, la *Canción de Bernardo de Ribagorza*, en el cual el conde Bernardo fue aliado fiel de Carlomagno y liberador de su condado y de otras regiones ocupadas por los moros. Según su hipótesis este poema, que "havia nascut [...] a principis del darrer terç del segle XI" (Abadal 1952: 487), se habría mezclado con el de la venganza familiar, de Bernardo del Carpio. UBIETO ARTETA sostiene (1981: 139-40) que varios versos de la *Canción de Bernardo de Ribagorza* se incorporan en la prosa de la *Estoria de España*.

Entwistle, sin embargo, nos recuerda (1951-52: 121-22) que no hay ni una palabra sobre Bernardo en la historiografía hispanolatina antes de 1236, lo que indica la composición de un poema o dos hacia 1200[28]. Según el primer trabajo de Entwistle, sólo hubo un *Cantar de Bernardo* (con Timbor como heroína), mientras que la versión alternativa fue una *Estoria de Bernardo* en prosa (probablemente en latín). [AMF, MV]

Aa18.1 Si la opinión mayoritaria es correcta, tenemos, pues, que pensar en dos cantares tempranos de *Bernardo del Carpio*.

Aa18.2 Hay que pensar también en la posibilidad de una o más refundiciones reflejadas en crónicas posteriores y en romances (Menéndez Pidal et al. 1957-63: I, 165-66).

Aa19 *Cantar de Rodlán*

El fragmento existente de *Roncesvalles* (Aa21, infra) no deja lugar a dudas en cuanto a un poema del siglo XIII derivado de la *Chanson de Roland*, pero las primeras alusiones hispánicas a la tradición épica carolingia son mucho más tempranas. Una nota escrita, según parece, en el tercer cuarto del siglo XI en una hoja de un manuscrito procedente de San Millán de la Cogolla (RAH, Emilianense 39) fue descubierta por Dámaso Alonso hace unos cuarenta años. Resume una versión de la leyenda que, según la opinión general, es arcaica, ya que no menciona la traición de Ganelon. Es muy posible que dicha opinión sea correcta, pero es también posible que se deba a una visión selectiva del autor de la *Nota:*

> In era dcccxvi venit Carlus rex ad Cesaragusta. In his diebus habuit duodecim neptis; unusquisque habebat tria

28 Mercedes VAQUERO, en una de las aportaciones más recientes, está más o menos de acuerdo: "parece que fue compuesto hacia fines del siglo XII o principios del XIII, o al menos gozó de gran popularidad en este período" (1993: 481).

> milia equitum cum loricis suis. Nomina ex his Rodlane, Bertlane, [...], Olibero et episcopo domini Torpini. [...] In Rozaballes a gentibus Sarrazenorum fuit Rodlane occiso (ed. Alonso 1953)

A pesar del escepticismo de Ronald N. Walpole (1956-57), parece muy probable que la *Nota emilianense* se escribiera una generación antes del manuscrito Oxford (el más antiguo) de la *Chanson de Roland* (véase Duggan 1976: 101-02). No hay duda alguna de que revela un conocimiento muy temprano de la leyenda en Castilla. Lo que no se puede decir con seguridad es que dicho conocimiento, revelado también en nombres personales a partir de finales del siglo XI (Hook 1993), se deba a un poema carolingio en castellano (un problema parecido surge de los descubrimientos de David Hook de nombres artúricos más tempranos y mucho más numerosos de lo que se había sospechado: véase Hook 1991). Sin embargo, la forma de varios nombres en la *Nota* parece hispánica, y varios llevan la *e* paragógica característica de la más temprana poesía castellana (Alonso 1963; Menéndez Pidal 1960a: cap. 10). Las conocidas palabras del *Poema de Almería*, hacia 1148:

> Tempore Roldani si tertius Aluarus esset
> post Oliuerum, fateor sine crimine verum,
> sub iuga Francorum fuerat gens Agarenorum
> nec socii cari iacuissent morte perempti.
> (Gil 1974: 58; vv. 228-31)

son demasiado breves para revelar si su autor conocía una etapa de la tradición parecida a la de la *Nota*, pero coinciden con ella en el empleo de formas hispánicas de los nombres. Es posible que tanto la *Nota* como el *Poema de Almería* reflejen un poema carolingio hispanolatino, como sugiere Salvador Martínez (1975: cap. 7; compárese el *Carmen de prodicione Guenonis* francolatino, del siglo XIII), pero esta posibilidad disminuye, y la de un poema vernáculo aumenta, cuando tomamos en cuenta unos versos recogidos en la *Crónica de la población de Ávila* (hacia 1255):

Cantan de Roldán,
cantan de Olivero,
e non de Çorraquín,
que fue buen cavallero.

Cantan de Olivero,
cantan de Roldán:
e non de Çorraquín,
que fue buen barragán. (Rico 1975: 546)

Como dice Francisco Rico, esta canción paralelística de tema heroico se refiere a las hazañas de Çorraquín Sancho, de hacia 1158. Es razonable suponer que la canción se habría compuesto poco después de los acontecimientos que celebra (igual que, por ejemplo, las endechas por Fernando III o por Guillén Peraza), y que por lo tanto sería contemporánea del *Poema de Almería*. El descubrimiento de la canción hace muy probable lo que era antes sólo una posibilidad, la existencia a mediados del siglo XII de un poema épico castellano sobre Roldán, distinto del *Roncesvalles* del siglo XIII (Aa21, infra). Y si existió a mediados del XII, la hipótesis más económica y convincente es que la *Nota emilianense* se refiere al mismo poema, que se habría compuesto, por lo tanto, poco después de mediados del XI, como muy tarde. (Para otros datos e ideas sobre la temprana presencia de las leyendas carolingias en España, véanse Horrent 1951a: 437-50 (escrito, desde luego, sin conocimiento de la *Nota emilianense*) y Menéndez Pidal 1960a: cap. 5.) [AMF, DH]

Aa20 *Mainete*

La leyenda de las mocedades de Carlomagno, tema del poema épico francés *Mainet*, de finales del siglo XII, entró en otras literaturas medievales, como demuestra Jacques Horrent (1979; cpse Allen 1969); en la literatura castellana se destacan la *Estoria de España* (caps.

597-99; véase Horrent 1979: 31-35), 13 de los 100 versos existentes de *Roncesvalles*, una sección extensa de la *Gran conquista de Ultramar* (1979: 35-38) y una sección más breve de las *Bienandanzas e fortunas* de Lope García de Salazar (obra que Horrent desconoce; para extractos o resúmenes en otros textos historiográficos, véase Sharrer 1992: 273-74). *Mainet* cuenta la huida del joven a causa de una riña familiar, y su refugio en Toledo, donde se enamora de Galiene, hija del rey moro. Se trata muy verosímilmente —como se empezó a señalar a mediados del siglo XIX— de una adaptación del refugio de Alfonso VI en la misma ciudad y de la leyenda de sus amores con la mora Zaída (véase Aa24, infra), hipótesis apoyada por Francis J. Carmody (1934: 15-16), por Erich von Richthofen (1954: 89-93; 1970: 19-24), y por Carlos Alvar (1988: 60-61), aunque Jules Horrent se muestra escéptico (1951b: 187n4), y Jacques Horrent (1979: 140-65) sostiene que la influencia pasó a sentido contrario. Carmody explica la transmisión de la historia castellana a la tradición épica francesa al decir que probablemente "it was the *Pseudo-Turpin* which made some oral legend known, and in that Latin work its diffusion was assured" (1934: 15).

Desde principios del siglo XIII se encuentran en documentos alusiones a los palacios de Galiana, con nombres de individuos que se parecen a los de personajes del poema épico (Menéndez Pidal 1934a: 274-77). Menéndez Pidal sostiene (1934a: 281-83) que el poeta de *Mainet*, como muchos franceses del siglo XII, había vivido en Toledo, familiarizándose allí con la historia ya algo ficcionalizada de la estancia de Alfonso VI (cpse *La mora Zaída*, Aa24, infra); su argumentación es bastante convincente. Pasa a sugerir (283) que el poeta de *Mainet* fue posiblemente un juglar español. Un aspecto problemático es que a medida que aceptamos la hipótesis de un poeta toledano (sea español o habitante del barrio francés de la ciudad), parece cada vez más probable que la tradición de los palacios de Galiana provenga no de un *Mainete* sino del poema francés (no sería tan sorprendente como parece a primera vista: la historiografía alfonsí incluye unas prosificaciones de poemas franceses —por ejemplo, el *Roman de Thèbes*— que no parecen haber pasado por la etapa intermedia de poemas castellanos).

La primera alusión española a la leyenda parece ser la del *Roncesvalles* navarro (véase Aa21, infra), cuando dice Carlomagno:

> Quando fuy mancebo de la primera edade,
> quis andar ganar precio de Francia, de mi tera naturale,
> fuy me a Toledo a servir al rey Galafre,
> que ganase a Durandarte large.
> Ganela de moros quando maté a Braymante;
> dila a vós, sobryno, con tal omenage
> que con vuestras manos non la diésedes a nadi:
> saquela de moros, vós tornastes la ayláe.
> Dios vos perdone, que non podiestes máes.
> Con vuestra rencura me quiere el coraçón crebare.
> Sallí me de Francia a teras estraynas morare,
> por conquerir provencia e demandar linaje;
> acabé a Galiana, a la muger leale.
> (versos 54-56; Horrent 1951b: 21-22)

Sea cual sea la hipótesis correcta sobre la lengua del poema que sirvió de fuente a la *Estoria de España*, es muy probable que los versos de *Roncesvalles* provengan de la tradición épica francesa, como sostienen Jules Horrent (1951b: 178-93) y Jacques Horrent (1970; 1979: 159-63). Éste trata de reconstruir el contenido de *Mainete* (1979: 228-29), y concluye que, entre todos los textos derivados del *Mainet* francés, el que se relaciona más estrechamente con *Mainete* es el *Karl Meinet* alemán (229-30).

Es muy probable también que la historia de Mainete en la *Gran conquista de Ultramar* no provenga del *Mainete* castellano sino del *Mainet* francés, probablemente a través de una trilogía española, redactada en el reinado de Sancho IV, sobre la historia familiar y las mocedades de Carlomagno (Sharrer 1992: 271; véase también Gómez Pérez 1963-64 y 1965). La versión de la historia que tenemos en la *Gran conquista* arabiza los nombres personales, lo que demuestra para Jacques Horrent (1970: 92) que representa una etapa posterior de la misma tradición a la utilizada en *Roncesvalles*. En cuanto a las *Bienandanzas e fortunas* (de la cual tenemos finalmente una transcripción cuidada, hasta el momento sólo en microficha: Marín Sánchez 1993), la opinión autorizada de Harvey L. Sharrer es que "García de Salazar apparently collated different versions of the *Mocedades de Carlomagno* story to produce what seemed to him to be the 'best' account, but at the same time he altered his written sources with information taken from oral tradition" (1992: 280). Lo que dice de la tradición oral del *Mainete* no es necesariamente incompatible con la conclusión de Carlos Alvar: "el *Mainete* no debió tener una vida demasiado intensa en la tradición oral: ni la *Crónica de 1344* lo recoge, ni han quedado testimonios de estas mocedades en el Romancero viejo" (1988: 62). Hay, sin embargo, un descubrimiento que puede revelarnos el primer reflejo literario existente del *Mainete* después de la *Estoria de España*. Se trata de un romance sefardí, cantado en los años 30 y 40 del siglo XX:

"¡Galeana, Galeana, mujer de grande coraje!
conmigo lleváis el cuerpo con otro la veluntade.
Aquel perro de Caloricho yo lo quiería matare,
tres veces en cada día yo lo tengo d'amostrare;
una vez la mañanada la hora de desayunare,
otra vez la mediodía la hora que vais almorozare,
otra vez a la nochada la hora que vos vais a echare."
Por ahí pasó Caloricho a tarjé d'un carboñale.
"Échavos d'aquí, Galeana, como quien s'echa a nadare,
vos arecebiré en mis brazos como amigo caronale."
(Stern 1959: 129-30)

Otras versiones en el Archivo Menéndez Pidal (Armistead et al. 1978: I, 100-01 y 140, III, 8-9 y 12) confirman que la historia de las mocedades de Carlomagno tuvo una vida bastante vigorosa en el romancero sefardí, aunque hasta el momento no se ha descubierto rastro alguno de lo que había de ser el eslabón entre éste y el poema épico que entró en la *Estoria de España*.

Aa21 *Roncesvalles*

Es hecho conocidísimo que 100 versos sobreviven en dos hojas de pergamino, conservadas en circunstancias curiosas. Dice Ian Michael: "Es el único manuscrito medieval que conozco con el que se hizo un bolso" (1992: 80). Son los únicos restos de un manuscrito de hacia 1285-1325 (la argumentación de Michael (1992: 80-81) convence). Con la única excepción de Francis J. Carmody (1934), para el cual no se trata de un fragmento sino de un breve poema heroico completo (Jules Horrent comenta dicha hipótesis, 1951b: 204-07), todos los investigadores están de acuerdo en lo esencial: los versos del manuscrito constituyen un fragmento de un poema que desciende de la tradición de la *Chanson de Roland*, aunque no se puede identificar con ninguna versión existente de ésta. Por eso, es imposible averiguar el contenido del poema completo: en sus líneas generales, debe de haberse parecido a la versión de Oxford de la *Chanson*, pero el hecho de que buena parte del fragmento difiera del episodio correspondiente de ésta demuestra lo peligroso que sería suponer una estrecha semejanza de argumento (Horrent compara el fragmento con otras obras de la tradición rolandiana, 1951b: cap. 5). Ramón Menéndez Pidal utiliza el romance de *La fuga del rey Marsín* para su tentativa de reconstrucción del contenido (1917: apart. IV.8; 1953: I, 246-48), pero —aunque Martín de Riquer parece aceptarlo (1983: 397)— no es seguro que el romance haya derivado del poema parcialmente conservado por el fragmento manuscrito: para Samuel G. Armistead, el romance representa una versión posterior de *Roncesvalles* (véase Aa21.1, infra)[29]. Menéndez Pidal concluye que el poema existente que se parece más a *Roncesvalles* es el manuscrito de Venecia, *V4*, de la *Chanson de Roland*, que tiene 5.500 versos, y que por lo tanto el poema español habría sido más o menos de la misma extensión.

La tradición rolandiana no es la única fuente del poema: Horrent nota semejanzas con el *Pseudo-Turpín*, y defiende contra el escepticismo de Menéndez Pidal y Carmody la posibilidad de que el texto latino haya influido directamente en el poema español (1951b: 143-44). La semejanza entre el llanto de Carlomagno ante los muertos y el llanto de Gonzalo Gústioz en los *Siete infantes de Lara* fue notada por Menéndez Pidal (1917: 167), pero no creyó que fuera más que un lugar común, y Horrent (1951b: 118) está de acuerdo con él, aunque Carmody ya había dicho, con razón, que la semejanza era demasiado estrecha para admitir tal explicación (no logró la explicación adecuada, sin embargo). Riquer, al contrario, subraya no sólo lo parecidos que son los dos episodios, sino el factor decisivo: el hecho de que Carlomagno y Aymón parecen hablar con las cabezas de los muertos (vv. 15 y 87), aunque éstos —a diferencia de los Infantes de Lara— no habían sido descabezados: "Todo lo que parece forzado o innecesario en *Roncesvalles* es básico, obligado y consustancial en el *Cantar de los Siete Infantes de Salas*" (1968: 211). Tal préstamo se comprende mejor dentro del contexto de la tradición oral (Deyermond 1965: 3, citando a Lord 1960: 24); vale la pena recordar a propósito de esta cuestión que Ruth House Webber ofrece razones (1966) para ver en el fragmento el

[29] Para la posibilidad de que *Doña Alda* (MENÉNDEZ PELAYO 1944-45: VIII, núm. 184) provenga de *Roncesvalles*, véase MENÉNDEZ PIDAL (1953: I, 248-51).

resultado de la composición oral (calcula que hay un 80% de frases formularias, aunque las fórmulas estrictas sólo llegan a un 25%).

Menéndez Pidal aceptó que el poema podía haberse compuesto en Navarra (1917: 89), pero estaba convencido de que se trataba de un poema castellano, y de que cualquier navarrismo del texto se debía al copista. El poema, sin embargo, es navarro en su ideología profrancesa, y, según demuestran Horrent (1951a: 40-55) y Michael (1992: 81-82), no hay nada en su lengua que se oponga a un origen navarro. (Horrent, siguiendo a Menéndez Pidal (1917: apart. II), habla del dialecto navarro-aragonés (1951b: 55), pero son dos dialectos)[30]. Es lógico, pues, aceptar la hipótesis de Horrent (1951b: 55-62) de que *Roncesvalles* es un poema épico navarro (Riquer está de acuerdo (1983: 397), como demuestra el título de su edición). La fecha de composición es más difícil de averiguar que la del manuscrito. Según Menéndez Pidal (1917: 194) el poema se compuso en el primer tercio del siglo XIII, pero Horrent (1951b: 62-65), comparando el poema navarro con otros poemas rolandianos, concluye que no puede ser anterior a fines del XIII (opinión que coincide más o menos con la de Carmody (1934: 19-20), según el cual se compuso en la segunda mitad del siglo, aunque Horrent la tilda de superficial (1951b: 64). Riquer vacila entre las opiniones de Menéndez Pidal y Horrent (1983: 397), pero Michael está dispuesto a confirmar la de Menéndez Pidal en cuanto a la fecha: "El resto del lenguaje del fragmento, aparte de algunos castellanismos [...], no contiene nada que no sea de esperar en un texto de Navarra de principios del siglo XIII" (1992: 81).

30 Hay una confusión insólita en lo que dice HORRENT de la lengua: después de más de 15 páginas de estudio lingüístico, empieza a distinguir entre el navarro y el aragonés ("Nous lui attribuerons même une origine plutôt navarraise qu'aragonaise"), pero continúa a renglón seguido: "Les dialectismes sont le fait du copiste. Aucun d'entre eux n'est susceptible d'être attribuée à l'auteur du cantar" (1951b: 55).

Aa21.1 Armistead (1978: 323n21) dice que "At least three stages must be taken into account": la primera es la reflejada en la *Nota emilianense* (o sea, el *Cantar de Rodlán*, Aa19, supra), la segunda es el *Roncesvalles* parcialmente conservado, y el tercero es la representada por dos romances castellanos del siglo XVI, *La fuga del rey Marsín* y *El sueño de doña Alda* (según Menéndez Pidal y otros investigadores, el primero al menos deriva del poema que nos ha dejado 100 versos). Estos romances tienen descendientes sefardíes (Armistead & Silverman 1971: 56-62 y 65-73). Horrent cree que "En los campos de Alventosa" (Menéndez Pelayo 1944-45: VIII, núm. 185a; cpse "Por la matanza va el viejo", núm. 185) proviene de una refundición (1951a: 508 y 517).

POEMAS MISCELÁNEOS

Aa22 *La campana de Huesca*

Una leyenda del reinado de Ramiro II, el Monje, de Aragón (1134-37) hizo fortuna en la literatura española, sobre todo en el teatro del Siglo de Oro y de la época moderna, pero también en la novela y la poesía del siglo XIX (véase Simón Díaz 1955; Fradejas Lebrero 1988: 90). Se trata de la manera sangrienta —y sin duda ficticia— empleada por Ramiro para domar la nobleza turbulenta que amenazaba el bienestar público: el rey convocó a los grandes a Huesca para escuchar una campana maravillosa que sonaría por todo el reino, y los hizo descabezar. La leyenda entró pronto en la historiografía, tanto castellana como aragonesa, empezando en el último cuarto del siglo XII con poquísimas palabras ("Mataron las potestades en Huesca") en los *Anales toledanos primeros*, y alcanzando bastante extensión en la

Crónica de San Juan de la Peña, redactada en latín y traducida muy pronto al aragonés, en el tercer cuarto del siglo XIV (Ubieto Arteta 1961; Orcástegui Gros 1985). Antonio Ubieto Arteta publicó el primer trabajo importante sobre el origen épico del texto cronístico (1951; revisado 1981: 263-92), comparando los documentos históricos con la leyenda, datando el cantar de gesta perdido a principios del siglo XIII, y reconstruyendo 51 versos, basándose en el texto aragonés de la *Crónica* (1951: 57-59). Manuel Alvar se dedicó a una reconstrucción algo más libre, que alcanza 71 versos (1969: 187-201 = 1991: 309-16). Como se ve por la reconstrucción revisada de Ubieto Arteta (1981: 266-68), los versos, que ahora son 68, no son muy convincentes como versos épicos, aunque (¿o porque?) siguen fielmente el texto cronístico aragonés:

> En las cuales letras recontábale el estament
> et mala vida que passava con los mayores del regne,
> rogándole que le diesse (ayuda et) consell.
> El maestro (Frotard ovo) grant plazer
> (por) las letras (que) recibidas havié;
> (pero) pensó que sería irregular (et descortés)
> si le consellava qué justicia fiziés.
> (Estonz) clamó el mensagero al huert,
> en el qual muchas coles havié.
> Et sacó un ganivet,
> et, teniendo la letra en la mano et leyend,
> talló todas las coles mayores que yeran en el huert,
> et fincoron solas las chicas. Et díxole al mensager:
> "Vete al mi señor el rey et dile lo has visto fer."
> (vv. 24-37)

Resultan muy distintos de, por ejemplo, los versos de los *Siete infantes de Lara* reconstruidos por Menéndez Pidal[31]. Esto no significa, sin embargo, que no hubiera

31 El profesor Alberto MONTANER me informa, en una carta del 18 de septiembre de 1994:

> Yo intenté hacer una nueva reconstrucción en verso a partir de la nueva edición crítica de la versión aragonesa de la *Crónica de San Juan*

poema épico de *La campana de Huesca:* las dudas se refieren tan sólo a la posibilidad de reconstruir sus versos. Las investigaciones de José Miguel Oltra (1987) sobre tres versiones del romance del mismo título tienden a reforzar la hipótesis de la forma épica de la leyenda, aunque hay cierta ambivalencia en su conclusión:

> No creo disparatado que el romance de "La Campana de Huesca" tenga un arquetipo que coincidiera con los versos de un cantar épico perdido, quizá variante del que fue trasladado a la prosa de CP [la *Crónica de San Juan de la Peña*]. [...] Por mi parte, creo que el romance puede adquirir la forma más conocida en las primeras décadas del siglo XVI, cuando la abundancia de manuscritos de CP y la proliferación de otras crónicas pueden reavivar antiguas memorias. (1987: 272)

Frente a la opinión de Ubieto Arteta, ya aludida, Manuel Alvar, basándose en el estudio de la apócope, concluye que "el texto debe situarse por la época misma de los hechos que narra. Nos encontramos, pues, una vez más con el carácter noticiero de nuestra épica" (1969: 191). La opinión de Manuel Alvar es compartida por Antonio Alvar Ezquerra (1980: 5) y por José Fradejas Lebrero, el cual sugiere dos posibles poetas, los juglares Poncio y Brun, que aparecen en documentos de 1122 y 1137 respectivamente (1988: 88). Sin embargo, Ubieto Arteta (1981: 263-92) utiliza un texto historiográfico árabe, recién traducido, para revisar algunas de sus opiniones de 1955, y estudia de nuevo (1981: 271-77) la lista de los ajusticiados, concluyendo que son personajes del siglo XIII. Esto imposibilita, desde luego, la composición en el reinado de Ramiro (o poco después), a no ser que pensemos en la sustitución de personajes del siglo XII por nombres

---

de la Peña [ORCÁSTEGUI GROS 1985] y advertí numerosas dificultades para obtener algo presentable; tras la experiencia de [MONTANER FRUTOS 1993b], todavía menos fiable, sobre todo si se tiene en cuenta que el texto aragonés es traducción de otro latino.

contemporáneos con un poeta del XIII. Otro factor es su hipótesis de un poema más extenso, que empezó con la muerte de Alfonso el Batallador y la elección de Ramiro (1981: 245-61). La argumentación y las pruebas que aduce para una fuente poética de esta parte de la narración cronística son notablemente más flojas que las que apoyan la hipótesis de un poema de *La campana de Huesca*. Si tiene razón, la inclusión por el Toledano de una versión ficticia del comienzo del reinado establece un *terminus ad quem* en 1243 para el poema, pero no es necesario apoyarse en esta argumentación, ya que tiene mucha fuerza la comparación de la leyenda con la situación política de los años veinte del siglo XIII:

> A principios del siglo XIII, con la minoría de Jaime se produjeron una serie de revueltas nobiliarias, en las que incluso se llegó a cuestionar el derecho de Jaime I al trono de Aragón. Estas revueltas cobraron su punto álgido en el periodo 1224-1227, hasta que la nobleza fue sometida. Hacia esas fechas parece que hay que llevar la redacción de *La Campana de Huesca*, cuando podía tener una influencia sobre los acontecimientos y las posturas nobiliarias anti-monárquicas. (Ubieto Arteta 1981: 277)

Las analogías literarias y folklóricas que se han notado en *La campana de Huesca* son muy interesantes. Antonio Alvar Ezquerra descubre en Heródoto el motivo de las coles (véanse los versos reconstruidos, ya citados), motivo de posible origen sánscrito (para otras analogías, véase 1980: 7n6). Ya que no parece que Heródoto fuera conocido directamente en la España medieval, hay que pensar en una fuente intermedia, y la más probable se encuentra en Valerio Máximo:

> cabe presumir que a mediados del siglo XII un poeta del Alto Aragón, probablemente monje cluniacense y de mediana cultura, adaptó al reinado de Ramiro II el Monje una leyenda, difundida oralmente (con menos seguridad por escrito), procedente de Valerio Máximo, autor muy conocido en Francia incluso antes de esta fecha. (1980: 15)

José Fradejas Lebrero comenta no sólo este motivo sino también el de la muerte de los caballeros, con analogías en textos árabes y noruego de la Edad Media (1988: 86-88)[32]. [AMF]

Aa23 *Cantar de Alfonso VI*

Bernard Reilly, a consecuencia de sus investigaciones sobre Alfonso VI en la historia y la historiografía, concluye que la amplitud de la sección correspondiente del *De rebus Hispaniae* del Toledano, en comparación con lo que dice el Tudense en su *Chronicon mundi*, se explica por la utilización por parte de aquél de dos fuentes ahora perdidas, una *vita* o *gesta* del Arzobispo Bernard de Sauvetot y un *Cantar de Alfonso VI* (Reilly 1985: 92-95, desarrollando la hipótesis formulada en Reilly 1976: 136). Dice Reilly: "Whether this was a single literary epic or a series of heroic stories one can not be sure [...]" (1985: 93), pero sí está seguro de que se trata de una obra vernácula, ya que para él los versos latinos del *De rebus Hispaniae*, libro VI, cap. 22, celebrando la conquista de Toledo, "probably derive from a Latin version of the *Cantar*" (1985: 93, n22):

O Obsedit secura suum Castella Toletum,
P castra sibi septena parans, aditumque recludens.
P Rupibus alta licet, amploque situ populosa,
I circundante Tago, rerum virtute referta,
D victu victa carens, invicto se dedit hosti.
A Huic Medina Cœlim, Talavera, Conimbria [plaudat.
C Abula, Secobia, Salmantica, Publica Septem,
A Cauria, Cauca, Colar, Iscar, Medina, Canales,

[32] Las fechas de publicación no significan que FRADEJAS LEBRERO se restrinja a seguir la pista indicada por ALVAR EZQUERRA: éste dedica su artículo a aquél, y dice con toda honradez que "puso a nuestra disposición todos sus muchos materiales sobre el cuento que comentamos" (1980: 9n12). Parece que los pocos párrafos dedicados a la cuestión por FRADEJAS LEBRERO en 1988 resumen un trabajo mucho más extenso y todavía inédito. Es de esperar que lo publique pronto.

P Ulmus, et Ulmetum, Magerit, Atentia, Ripa,
T Osoma cum Fluvio lapidum, Valeranica, Maura,
A Ascalona, Fita, Consocra, Maqueda, Butracum
Victori sine fine suo modulantur ovantes:
Aldefonse, tui resonent super astra triumphi.
(Cabanes Pecourt 1968: 136)

Mercedes Vaquero, en cambio, ve estos versos como "la mejor prueba" de que "Alfonso VI, al igual que el Cid, fue posiblemente personaje central de poemas épicos cultos" (1990b: 272); el contexto confirma que se refiere a poemas en latín. Para Reilly, el *Cantar de Alfonso VI* abarcó la vida del monarca desde el amor juvenil con su hermana Urraca y su refugio en Toledo hasta la batalla de Uclés (véase p. 38, supra); se trata del contenido principal de los caps. 883-85 de la *Estoria de España.* Si tiene razón, la leyenda que, según varios investigadores, constituye *La mora Zaída* (Aa24, infra) habrá sido una parte importante del *Cantar de Alfonso VI*, y por lo tanto la hipótesis de un poema distinto sobre Zaída se debilita notablemente[33]. Vaquero examina detenidamente la estancia toledana del rey, con rasgos ficticios bastante acusados, según la narración de varias crónicas (desde la *Crónica de los reyes de Castilla* hasta el *Memorial de ystorias* de fines del siglo XV) y de unos romances, concluyendo que:

> A través de la escasa evidencia con que contamos es inevitablemente hipotético —y arriesgado— asegurar que existieron cantares de gesta sobre Alfonso VI. Con lo hasta aquí analizado, someramente podemos atisbar que existió una épica culta en torno a este personaje. (1990b: 284)

[33] Parece que lo que para REILLY es el *Cantar de Alfonso VI* es para Salvador MARTÍNEZ un hipotético *Cantar de la mora Zaída*:

> I am convinced that if there ever was a *Cantar de la mora Zaída*, as Menéndez Pidal contended, this *cantar* began with an adulterous love affair, continued with the death of Zaída, the disaster at Uclés, and the death of the boy-king, and ended with the defeat and death of the traitors in a ball of fire in the outskirts of Córdoba, all as outlined in chapter 885 of the *PCG*. (MARTÍNEZ 1986-87: 4)

Aunque Vaquero pasa a sostener que Alfonso fue el personaje principal de un poema (o episodio) de la *Partición de los reinos* (véase Aa13, supra), es más escéptica —a pesar de los títulos de los dos artículos— que Salvador Martínez (1986-87).

Aa24 *La mora Zaída*

La *Estoria de España* incluye en sus caps. 883 y 885 la historia de amor de la princesa Zaída:

> sonando la su muy grand fama deste rey don Alffonso, óvolo a oýr et saber aquella donzella donna Çaýda: et tanto oyó deste rey don Alffonso que era cavallero grand et mui fermoso et libre en armas et en todos los otros sus fechos, que se enamoró déll; et non de vista ca nunqual viera, mas de la su buena fama et del su buen prez que crescié cada día et sonava más, se enamoró déll donna Çaýda, tanto que fue además. (Menéndez Pidal 1955: 553a)

El enamoramiento de oídas es un motivo muy difundido en la literatura medieval (por ejemplo, en el "amor de lonh" de Jaufre Rudel interpretado por el autor de su *vida*, y en la *Razón de amor*), y por lo tanto Menéndez Pidal niega prudentemente (1938: 180) que éste y otros elementos poéticos en la narración prueben la existencia de un poema épico sobre el asunto. Sí la prueba, concluye, la vacilación del cronista ante tres variantes:

> Et unos dizen que veno ella a Consuegra, que era suya et acerca de Toledo; otros dizen que a Ocaña quera suya otrossí; otros dizen aun que las vistas fueron en Cuenca; mas las vistas ayan seído ó quier [...] (1955: 553b)

Comenta que:

> A la *estoria* de doña Zaida, escrita, que la Crónica sigue, opónense aquí otras dos variantes, sin duda escritas también, o, si acaso, orales fijadas en una forma métrica; pues no parece que serían dignas de llamar la atención del compilador, para contraponerlas a la fuente

> principal, dos discrepancias oídas de pasada en relatos fluctuantes, de contexto no fijado de ningún modo. Ahora bien: esta abundancia de variantes es habitual en la transmisión de los cantares, [...] mientras que una leyenda en prosa ofrece menos variantes, y no es tan natural, dada su falta de popularidad, que fuese consultada en dos y tres redacciones diferentes por la *Crónica*. (1938: 181-82)

No es tan obvio como pareció a Menéndez Pidal que los cuentos folklóricos u otros relatos tradicionales en prosa tengan menos variantes que la poesía tradicional, ni es necesario aceptar que una narrativa poética sobre Zaída haya sido épica. El tema no es nada típico de la poesía épica, y tal vez haya que pensar en poemas muy cortos; en este caso, a diferencia del de *Meo Cidi* (Aa17, supra), vale la pena recordar el de Çorraquín Sancho como ejemplo.

No hay duda en cuanto a la existencia histórica de Zaída. No fue la hija de al-Mu`tamid, rey de Sevilla, como dice la leyenda recogida en las crónicas, sino su nuera (véase Lévi-Provençal 1934). Tampoco hay duda en cuanto a su relación con Alfonso VI: concubina, y madre de su único hijo. Su trágica historia de amor (véanse las páginas que le dedica Menéndez Pidal 1956: II, 760-64, páginas muy refundidas a la luz del trabajo de Lévi-Provençal 1934) fue bastante elaborada en la tradición que llegó a las crónicas; las cuestiones que quedan por resolver son la forma en la cual se constituyó la tradición (¿épica o no?) y su relación con un posible *Cantar de Alfonso VI* (Aa23, supra). Para un aspecto de la tradición posterior, véase Montaner Frutos (1989b: 54 y 159).

Aa25 *La muerte de Pedro de Ahones*

Antonio Ubieto Arteta ha identificado en el *Libre dels feyts del rey Jaume* una narración, la de la muerte de Pedro de Ahones, que le parece proveniente, al menos en parte, de un poema épico (1980; 1981: 323-46)[34]. Hace tiempo fue normal pensar en fuentes épicas para varios episodios de las grandes crónicas catalanas (hay buen número de estudios, hábilmente resumidos en Riquer 1982: 373-94), pero los investigadores de hoy tienden a descartar tales poemas hipotéticos: véase, por ejemplo, Salvador Martínez (1991), según el cual es muy probable que la poesía épica de la Cataluña medieval fuera exclusivamente latina. Ubieto Arteta sostiene, sin embargo, que "La narración de la muerte de Pedro de Ahones contiene una serie de acontecimientos que están en contra de la misma realidad histórica" (1980: 498 = 1981: 338), y ofrece un esquema de la estructura formal del poema que, según él, habría sido la fuente de dichos acontecimientos (1981: 340-46), y cuya fecha "habría que situarla entre 1226 y quizás 1276, como máximo [...] Posiblemente fuese más cercana a 1226 [...]" (340). Su estudio de la narración le convence de que se trata de "un cantar de gesta perdido, íntimamente relacionado con las tierras de la 'comunidad de Daroca' y en concreto con Burbáguena (provincia de Teruel)" (500 = 340). Si tiene razón, el poema épico perdido habría estado en aragonés, aunque sus únicos restos quedarían en una crónica catalana.

Aa26 *La peregrinación del rey don Luis de Francia*

El *Chronicon mundi* del Tudense incluye en la historia del reinado de Alfonso VII dos episodios casi independientes, como observa Bernard F. Reilly (1976: 130). Uno de ellos se basa en el hecho histórico de un peregrinaje de Louis VII de Francia, en el año 1154,

[34] Ubieto Arteta 1981: 323-46 es una ampliación de 1980, agregando varios datos descubiertos después de la redacción del artículo y (1981: 340-46) un "esquema de una canción de gesta".

pero el hecho se ha transformado en narración literaria, en la cual el motivo del peregrino es el de comprobar que su novia es la hija legítima de Alfonso VII; es estudiada por Ramón Menéndez Pidal (1923: 352-63). Éste cree que la historia se remonta a una fuente épica (1923: 353), y concluye que tiene su origen en la *Chanson du pèlerinage de Charlemagne*, un cantar de gesta muy breve, de la primera mitad del siglo XII, cuya influencia en Noruega y en Inglaterra en el siglo XIII se ha demostrado (1923: 358). Dice Menéndez Pidal de la narración incluida por el Tudense: "es relato muy pormenorizado, por lo cual no puede proceder de una mera conseja de tradición oral", y coloca su fuente entre los "relatos histórico-poéticos [que] estaban entonces en boga", como el *Romanz del infant García*, el *Cantar de Sancho II*, el *Cantar de Mio Cid* y las *chansons de geste* francesas (1923: 359) —es decir, la épica, aunque en el párrafo siguiente se refiere al "poemita español de la *Peregrinación del rey Luis*", lo que deja algo incierta su opinión sobre la cuestión genérica— cuestión muy difícil, ya que la narración no se parece nada a los textos épicos aludidos por Menéndez Pidal.

Aa26.1 El Toledano narra la historia de modo mucho más breve, pero según Menéndez Pidal no se trata de un mero resumen del Tudense, sino que varios detalles nuevos indican que el Toledano habrá utilizado, además de su predecesor hispanolatina, una fuente distinta (1923: 360-62), lo que indicaría la posibilidad de otra versión del poema. Del Toledano proviene el relato de la *Estoria de España*, cap. 978, pero es posible que el equipo alfonsí también haya conocido el poema directamente. En las crónicas posteriores, no hay nada que revele dicho conocimiento directo: "Nuestro poemita no debió de tener vida tradicional sino en el siglo XIII" (1923: 363).

Aa27 *La reina calumniada (Los hijos de Sancho el Mayor)*

La leyenda se ve por primera vez en la *Chronica Najerensis:* García, heredero de Sancho el Mayor de Navarra, riñe con su madre, la reina Muniadona, acusándola de adulterio, pero Ramiro, hijo bastardo del rey, prueba la falsedad del alegato. La reina maldice a García y adopta a Ramiro en un nacimiento simbólico que recuerda el de Mudarra en *Los siete infantes de Lara*. La leyenda se amplía en el Toledano, pero sin el nacimiento simbólico (Menéndez Pidal 1923: 342-44). José María Ramos y Loscertales se ocupa del desarrollo de la leyenda en la historiografía latina hasta mediados del siglo XIII (1950; cpse Pattison 1982: 39-40). Cuando pasa a la historiografía vernácula (brevemente en el *Liber regum* y con más amplitud en la *Estoria de España*, que sigue la versión del Toledano) omite todavía el elemento simbólico. Éste reaparece, sin embargo, en la *Crónica de 1344*, y la leyenda se amplía mucho más en la *Refundición toledana* de dicha crónica, redactada hacia 1460 (véase Pattison 1982: 38-39 y 45-50). La reaparición del nacimiento simbólico después de casi dos siglos de silencio se explica mejor por "continuidad tradicional" (Menéndez Pidal 1923: 343) que por las hipótesis también admitidas por Pattison (1982: 40-41): utilización de la *Najerensis* en la *Crónica de 1344*, y "a picturesque detail added by the chroniclers, which happens quite by chance to coin-cide with the earlier version of the same legend"; la primera de estas hipótesis me parece defendible, aunque no probable, pero la segunda es inverosímil.

Las relaciones monásticas de la leyenda son interesantes, como subraya Pattison (1982: 41-42): Sancho el Mayor fue enterrado en San Salvador de Oña, pero el monasterio que recibe más atención es el de Nájera, fundado por García, el mismo que acusó a su madre. Pattison (1982: 40) está de acuerdo con Menéndez Pidal (1923: 342) sobre el propósito de *La reina calumniada:* fue el de explicar por qué el segundo hijo de Sancho el Mayor, y no el primogénito, heredó Castilla (lógicamente, ya que Castilla era todavía un condado, pero algo que extrañaría a un público castellano posterior); también está de acuerdo José Fradejas Lebrero (1988: 82). (Fradejas Lebrero estudia también, breve pero interesantemente, los elementos folklóricos, 84, y la fortuna teatral de la leyenda, 84-86.)[35]. Pattison discrepa, en cambio, de la opinión general —implícita en Menéndez Pidal (1923: 342-44), explícita en Ramos y Loscertales (1950: 64) y Fradejas Lebrero (1988: 84)— según la cual la leyenda tuvo forma épica:

> The story is a simple one, and, though capable of narrative extension —shown by its treatment in later chronicles, particularly the *RefTol*— hardly seems to merit the title "epic" in any of that word's senses. Indeed, it is another example of the genre represented in the chronicles by the stories of the *Condesa traidora*, the *Infant García* and the *Mora Zaida* among others: short accounts concerning historical characters, replete with folkloric and often with religious motifs, vaguely historical yet overwhelmingly novelesque in tone. They are in no sense comparable with the broad strokes of the legendary or fictionalized lives of Fernán González, Bernardo del Carpio or the Cid, or with the essentially literary story of the Infantes de Lara. (1982: 41)

No dice si piensa en historias en verso o en prosa. La categoría de "short narratives" depende inevitablemente del espacio que ocupan en las crónicas, y me parece que dicho espacio puede depender de la extensión del texto original (como cree Pattison) o de la manera en que los cronistas tratan la historia: un

35 Adviértase que *La reina calumniada* se parece muy poco —fuera de los dos elementos referidos en el título— a los libros de aventuras, tan frecuentes en la Europa medieval, en los cuales la reina calumniada es desterrada por su marido y tiene que pasar años de soledad y de sufrimiento antes de su vindicación (véase SCHLAUCH 1927).

poema prosificado resultará mucho más largo que un poema (o narrativa en prosa) resumido. No es seguro que hubiera un poema épico de *La reina calumniada*, pero hay bastantes posibilidades de que esta narrativa tradicional, con su fondo de riña familiar, haya existido en forma épica.

Aa27.1 La *Historia Silense* ofrece una versión tan distinta que Ramos y Loscertales (1950: 61-64) la califica de "contraleyenda [...] de procedencia monacal y seguramente navarra" (1950: 64), mientras que la leyenda principal es castellana. Pattison discrepa de esta hipótesis (1982: 39-40), prefiriendo la de una sola leyenda, y subrayando lo normal que es la intervención monástica en la composición y la difusión de las leyendas épicas.

Aa27.2 Antonio Ubieto Arteta apunta que Gonzalo, el más joven hijo legítimo de Sancho el Mayor, que llegó a ser Conde de Sobrarbe y Ribagorza, no es mencionado en las versiones cronísticas de *La reina calumniada*, pero que elementos ficticios se asocian a él en la historiografía aragonesa (por ejemplo, la *Crónica de San Juan de la Peña*) y catalana (1981: 141-52). Concluye que "Todo permite suponer que entre 1137 y 1154 se gestó en Ribagorza una canción de gesta sobre el conde o rey Gonzalo, cuya figura y circunstancias permitían su creación" (1981: 152). Los indicios de que haya existido una *Canción del conde Gonzalo* son más débiles que en el caso de *La reina calumniada*, pero no se debe excluir totalmente la posibilidad de tal poema.

Aa28 *Reinaldos de Montalbán*

Dexemos al rey Karlos, . fablemos de ale,
digamos del duc Aymón, padre de don Rynalte.
Vido jazer su fijo entre las mortaldades;

> despeynós del cavayllo, tan grant duelo que faze,
> alzó li la cabeça, odredes lo que dirade: [...]
> "¿Qui levará los mandados a vuestra madre, a las teras de Montalbane?"
> (*Roncesvalles*, vv. 83-87 y 93; Horrent 1951b: 24)

Jules Horrent dice que "il n'est pas invraisemblable de supposer l'existence d'un *Reinaldos de Montalban* dont notre poète se serait souvenu" (1951b: 208), e Ian Michael no excluye la posibilidad (1992: 82)[36]. El problema, desde luego, es saber si el poeta navarro conoció directamente el *Renaut de Montauban*, o si su conocimiento se debió a una versión hispánica. El mismo Horrent admite la dificultad:

> Les moyens d'une investigation sûre font défaut, mais il me semble que l'auteur de *Roncesvalles* a pris directement connaissance des œuvres françaises qui se diffusaient largement en Espagne, surtout en Espagne orientale, mais n'a pas négligé pour la cause les remaniements que certains de ses confrères espagnols avaient livrés au public. (1951b: 208)

No dice nada más de dichas refundiciones, por una razón obvia: no sabemos nada de ellas. Es indudable el conocimiento de la épica francesa, por un medio u otro, en la España medieval, y varios estudios han demostrado su utilización en la épica castellana[37]. Pero la existencia de versiones castellanas (o navarras, aragonesas, etcétera) de poemas épicos franceses fuera de la tradición de la *Chanson de Roland* y de la *Chanson des Saisnes* (Aa29, infra) apenas pasa de la

36 Francis J. CARMODY (1934: 23-29) atribuye este elemento del *Roncesvalles*, como otros, a una fuente franco-italiana, una versión de *L'Entrée en Espagne*, hipótesis vigorosamente controvertida por HORRENT (1951b: 204-07).

37 Hay muchos estudios sobre la deuda (efectiva o dudosa) de la épica hispánica a la francesa, desde semejanzas bastante generales (KRAPPE 1924) hasta la métrica (SMITH 1985a: cap. 4) y estrechas semejanzas textuales (HOOK 1979). Para una valoración global de la cuestión, véase HOOK 1982. Aun descartadas las hipótesis discutibles, nos quedan bastantes pruebas sólidas de una influencia francesa.

conjetura, aunque conjetura bastante verosímil. El gran problema es el de averiguar el modo de transmisión de la influencia francesa. Sólo en la épica rolandiana tenemos pruebas concretas, gracias a dos hallazgos inesperados (el fragmento manuscrito de *Roncesvalles* y la *Nota emilianense*). Fuera de esta área, y de las pruebas indiciarias aducidas por Menéndez Pidal para el poema de *Sansueña*, todo son problemas: ¿Cuántos poemas fueron cantados en España por juglares francófonos? ¿Cuántos manuscritos entraron en bibliotecas españolas? (Recordemos lo numerosos que son los de varias *chansons de geste*: véase Duggan 1982.) ¿Cuántos poemas se tradujeron o adaptaron al castellano (el aragonés, etcétera)? No puede haber mayor contraste con el estudio de la lírica transpirenaica en la Península (véase Alvar 1977). En algunos casos, la existencia de un romance (pero nunca de cuatro que coinciden, como en el caso de *Sansueña*) indica la posibilidad de una versión épica castellana, pero no pasa de ser posibilidad[38]. En el caso de *Reinaldos de*

[38] Los casos aludidos son los de:

Aïol: "Muchas veces oí decir" y "Cata Francia, Montesinos" (MENÉNDEZ PELAYO 1944-45: VIII, núms. 175-76). Véanse MENÉNDEZ PIDAL 1953: I, 259-61; ARMISTEAD 1983: 381.

Aye d'Avignon: "Moriana en un castillo" (MENÉNDEZ PELAYO 1944-45: VIII, núm. 121) y "¡Arriba, canes, arriba!" (núm. 124). Véase MENÉNDEZ PIDAL 1953: I, 262.

Aymeri de Narbonne: "Del soldán de Babilonia" (MENÉNDEZ PELAYO 1944-45: VIII, núm. 196); romances sefardíes en ARMISTEAD & SILVERMAN 1971: 56-67 y ARMISTEAD et al. 1978: I, 110-11, tipo B8. Véanse MENÉNDEZ PIDAL 1953: I, 256-59; ARMISTEAD 1983: 381 y 382; 1994: xi.

Beuve de Hantone: *Celinos y la adúltera* en la tradición oral peninsular (MENÉNDEZ PELAYO 1944-45: X, 219) y sefardí (ARMISTEAD & SILVERMAN 1971: 227-40; ARMISTEAD et al. 1978: I, 78-81, tipo M11). Véanse MENÉNDEZ PIDAL 1953: I, 261; ARMISTEAD 1983: 383; 1994: xix-xx.

Floovant: *Floresvento* en la tradición oral peninsular e insular (PÉREZ VIDAL 1952, que no he logrado ver todavía) y en la sefardí (COSTA FONTES 1981-82). Véanse MENÉNDEZ PIDAL 1953: I, 261-62; ARMISTEAD 1983: 383 y 1994: xi y xiii.

Ogier le Danois: *El marqués de Mantua* (MENÉNDEZ PELAYO 1944-45: VIII, núms. 165-67) y *Roldán al pie de la torre* en la tradición oral (ARMISTEAD et al. 1978: I, 101-03, tipo B2). Véase ARMISTEAD 1983: 381 y 383; 1994: xi. William J. ENTWISTLE comenta:

Montalbán, carecemos de un romance correspondiente, y la argumentación tiene que apoyarse en la existencia de otras versiones hispánicas de otros poemas épicos franceses (*Roncesvalles*, *Sansueña*, y las posibilidades registradas en la nota 37). La existencia de dichas versiones es aceptada aun por investigadores nada aficionados al neotradicionalismo[39]. Tal apoyo es demasiado general para ser útil. Esto no significa, desde luego, que no haya existido un *Reinaldos de Montalbán*, pero sí significa que carecemos de pruebas de su existencia. [DH]

Aa29 *Sansueña*

La *Chanson des Saisnes*, de Jean Bodel de Arras (último cuarto del siglo XII) recoge y transforma poemas épicos antiguos sobre la guerra de Carlomagno contra los sajones (Riquer 1957: 219-22). Es posible que uno, al menos, de los poemas antiguos (Bodel tilda a sus autores de "bastart jugleor") fuera conocido en España en el siglo XIII, resumiéndose en la *Gran conquista de Ultramar*, como sostiene Riquer (1957: 222). Ramón Menéndez Pidal estudia cuatro romances

---

> The *Marqués de Mantua* ballads are wordy and pompous, but they are none the less conceived as short poems, that is, as ballads. There is nothing fragmentary about them, as there is nothing fragmentary about the other two cycles under discussion [romances derivados de *Aïol* y de *Aymeri de Narbonne*]. They cover the whole subject of the epic, but in such a manner as to exclude epic handling. Besides the ballads which may have originated as fragments of epics, like the two ancient members of the *Roncesvalles* cycle, there are those which have never been anything but ballads; and such are the most distinguished derivatives of the French *chansons de geste* in Spain. (1932: 215)

MENÉNDEZ PIDAL contesta a la argumentación de ENTWISTLE (1953: I, 245-46), pero desgraciadamente no se refiere al punto central ("They cover the whole subject of the epic"). Hay valiosas observaciones sobre la cuestión general de la relación entre la épica francesa y el romancero en MENÉNDEZ PIDAL 1953: I, 244-46 y 262-72.

39 Por ejemplo, P.E. RUSSELL dice: "Sabido que los poemas épicos franceses se presentaron en versiones españolas para los auditorios españoles, no es ilógico suponer que esas traducciones españolas [...]" (1978a: 132), y añade: "las pruebas de la existencia en España de versiones muy anteriores [es decir, antes de *Roncesvalles*] de la épica francesa son contundentes" (1978a: 155n20).

—tres conocidos en los impresos del siglo XVI, uno sólo en la tradición oral moderna— cuya narrativa corresponde a una parte del poema de Bodel (las tiradas 101a-156a: Menéndez Pidal 1950: 240). Los romances son *El suspiro de Baldovinos* (Menéndez Pidal 1950: 233-35), *Nuño Vero* (235-36), "Baldovinos sorprendió en la caza" (236-38) y *Belardos y Baldovinos* (238-40). A Menéndez Pidal le parece inverosímil que dichos romances hayan descendido directa e independientemente de la *Chanson des Saisnes*, que

> no uno, sino múltiples romances hubieran sido producidos por iniciativa individual de autores varios que dispersamente se aficionasen a la lectura de un texto francés, para lanzar trozos de él a la popularidad. Debemos suponer una previa popularización del conjunto, esto es una adaptación española del poema que, por estar en español, pudo popularizarse toda ella y pudo dar a varios de sus trozos una popularidad bastante para convertirse con el tiempo en tradicionalidad. Los cuatro romances de Baldovinos no pueden deber su primera forma a varios juglares romancistas, sino a un juglar de gesta traductor o adaptador de la obra de Bodel. Los cuatro romances son meros fragmentos [...] (241)

Su argumentación es sólida (véase también 1953: I, 251-56). Pasa a rastrear en los romances varias frases de la *Chanson des Saisnes*: "La traducción seguía bastante fielmente el texto de Bodel" (241). "Sin embargo, la traducción tomaba otras veces caminos muy apartados del original [...] todos difieren de él en un rasgo fundamental", o sea, Sevilla es hija, no mujer, del rey moro (241). Además, el escenario se ha trasladado a España: Sajonia se ha transformado en Sansueña (242-43). Todo esto viene apoyado por Martín de Riquer (1957: 244). Quedan dos cuestiones inconclusas: el origen de varios cambios en la narración, y la extensión del poema de *Sansueña*. En cuanto a la primera, no podemos ir más allá de la cauta conclusión de Menéndez Pidal:

> aunque varias de las discrepancias que en los romances hallamos son evidentemente debidas a las alteraciones de la transmisión romancística oral o juglaresca, otras remontan sin duda a la primitiva gesta traducida. (244)

El hecho de que los cuatro correspondan a la misma parte del texto de Bodel (unas 50 de las 300 tiradas) indica la posibilidad de que el poema español haya adaptado tan sólo una parte de la *Chanson*, de modo que *Baldovinos* pueda ser mejor título que *Sansueña.*

Ab. ÉPICA LITERARIA; TRADUCCIONES

La épica tradicional se destina esencialmente a la presentación oral, a un auditorio, aun cuando se compone por escrito (caso del *Cantar de Mio Cid* y de las *Mocedades de Rodrigo*, por ejemplo). El hecho de que a veces se preparen manuscritos cuidados para la lectura —algo que es mucho más frecuente en Francia que en España (véanse Riquer 1959 y Duggan 1982)— no cambia la naturaleza básicamente tradicional de un poema cuyo público principal, el público para el cual el poema se compone, es el que escucha. Hay grandes diferencias entre un poema y otro, desde luego, y diferencias más grandes entre los de diversas tradiciones nacionales, pero es posible y fructífero enfocar la épica tradicional como género mundial y multisecular, como se hace en el clásico libro de C.M. Bowra (1952) o en el trabajo igualmente magnífico de A.T. Hatto (1989).

Muy distinta es la épica destinada desde el principio a los lectores: la *Eneida*, la *Araucana*, *Os Lusíadas*, *Paradise Lost*. Creo que la mejor definición de la épica literaria es la que ofrece Bowra (1945: cap. 1; véase también Quint 1993). Vale la pena citar algunas de sus observaciones:

> The two classes of epic are really distinct because their technique is different and because each owes its character to special methods of composition. [...] The poet who writes for readers operates less with phrases and formulas than with single words. He fashions his sentences carefully and individually; he takes care to avoid omissions and contradictions, to harmonise the details of his plot, to secure an interwoven unity for his whole design. [...] (1945: 2-4)

No es tan seguro como le pareció a Bowra que la última característica sea privativa de la épica literaria (véase Miletich

1986), pero en general sus palabras resumen algunas de las diferencias esenciales entre la épica tradicional y la literaria.

Las obras maestras del género son creaciones de la Antigüedad clásica y del Renacimiento, pero existen muchos ejemplos en la Edad Media también, casi todos en latín. Es lástima que Bowra no se ocupe de ningún poema medieval, pasando directamente de Virgilio a Camões. Ya que decidió comentar tan sólo cuatro poemas, los más grandes del género, tal omisión es inevitable, pero resulta que alguna que otra de sus conclusiones generales no se aplica siempre a la épica literaria medieval. Algunos poemas medievales —por ejemplo, el *Alexandreis* de Gautier de Châtillon— se adaptan muy bien al modelo de Bowra, pero otros no tanto, a causa de su estrecha relación con la épica tradicional vernácula (el mejor conocido es el *Carmen de prodicione Guenonis* del siglo XIII), o porque se componen poco después del acontecimiento que celebran (el *Carmen de Hastingae proelio* o el *Poema de Almería*). Irónicamente, los poemas del último tipo se conforman mejor con una de las doctrinas del neotradicionalismo, que defiende su nacimiento al calor de los hechos, que la gran mayoría de los poemas épicos tradicionales (véanse las pp. 48-49, supra). Los que se relacionan con un poema vernáculo son, en general, los que se aproximan más a la épica tradicional, pero, con todo, pertenecen seguramente a la épica literaria. La naturaleza de la relación no es siempre tan clara como en el caso de la *Chanson de Roland* y el *Carmen de prodicione Guenonis*: por ejemplo, el *Waltharius* (véase Dronke 1977) o el *Carmen de morte Sanctii regis* (Ab1, infra)[1]. Todos

[1] Ningún sistema de categorías literarias es absoluto, y hay poemas en castellano que ocupan una posición intermedia, aunque se parecen más a la épica tradicional que a la literaria. Un conocido ejemplo es el *Poema de Fernán González* (cpse Aa2, supra), y hay también un grupo interesante que, según las investigaciones de Mercedes VAQUERO, constituye un nuevo tipo de épica popular: el *Poema de Alfonso XI*, compuesto por Rodrigo Yáñez en 1348; el análogo y contemporáneo *Poema da batalha do Salado*, de Afonso Giraldes (sólo nos quedan 14 estrofas); y la *Vida rimada de Fernán González*, de fray Gonzalo de Arredondo, abad de San Pedro de Arlanza (fines del siglo XV o principios del XVI). Véase VAQUERO 1984, 1987a y 1987b.

tienen en común un fuerte hilo narrativo, y tratan de los hechos de un héroe o un grupo de héroes. Muy distintos de la épica literaria, aunque hay semejanzas notables, son los poemas panegíricos como el *Carmen Campidoctoris* (véanse West 1975: 53-87; Wright 1979). Más distintos aun son varios poemas llamados a veces épicos, poemas como el *Laberinto de Fortuna*, de Juan de Mena: a pesar de varios episodios que podrían incluirse en un poema épico, a pesar de la influencia de la *Pharsalia* de Lucano, y a pesar del estilo elevado y tema nacional —elementos que han persuadido a varios investigadores (notablemente Dorothy Clotelle Clarke) de que pertenece efectivamente al género—, carece del argumento coherente, del hilo narrativo, que es imprescindible en la épica[2].

En el estudio de la épica literaria hispánica de la Edad Media no tenemos que enfrentarnos con el problema de la composición oral y la consecuente posibilidad de un número enorme de poemas perdidos (cpse las pp. 50-53, supra). Y el número de textos perdidos es en efecto muy reducido, en parte porque no parece que hubiera muchos poemas de este género en la España medieval, y en parte porque la naturaleza de los textos conlleva buenas posibilidades de conservación. Aun cuando pensamos en traducciones (con o sin

[2] CLARKE dice que el *Laberinto*

> is an epic poem, structured and styled strictly according to the epic principles stated by Aristotle in *The Poetics*, embodying certain features generally now considered basic to the epic as it evolved over the centuries through Latin, medieval, and renaissance literatures, and employing materials and techniques developed in the *mester de clerecía*, itself largely of epic origin, by medieval Spanish poets. (1973: 11)

El concepto se amplía en una lista de obras que incluye no sólo el *Poema de Fernán González* y el *Poema de Alfonso XI*, sino también la *Vida de Santo Domingo de Silos*, el *Libro de Buen Amor*, los *Proverbios morales* de Santob de Carrión, el *Rimado de palacio* de Pero López de Ayala y las *Edades del mundo* de Pablo de Santa María, diciendo:

> Their similarities in large are determined by the epic genre to which they [...] all belong or are at least clearly related — epic, but epic written almost unconsciously as such in many instances, perhaps, and as it survived and evolved naturally over the centuries in competition with and contaminated by other genres [...] (CLARKE 1973: 63)

glosas) de la épica de otras lenguas, el número de textos perdidos no puede, según creo, pasar de cinco, de los cuales sólo dos parecen seguros.

Ab1 *Carmen de morte Sanctii regis*

Georges Cirot demostró (1909) la posibilidad de recuperar hexámetros de la prosa de la *Chronica Najerensis*, y su análisis fue refinado por William J. Entwistle (1928b), el cual demuestra que se trata de un poema en hexámetros bastante crudos (toma el *Poema de Almería* como base de comparación). La inclusión de un poema épico hispanolatino en este catálogo se justifica por su estrecha (y hasta el momento no aclarada) relación con la primera versión del *Cantar de Sancho II* (Aa3, supra). Entwistle dice que:

> The *Carmen de morte Sanctii Regis* cannot be treated summarily as a mere replica of a vernacular poem[3]. [...] the Hispano-Latin poem is, in fact, different from what we know of the *Cantar de don Sancho* in respect of its inclusion of the numerical and antithetic scene in which D. Sancho boasts himself equal to a thousand, and the Cid refuses to declare himself unqualified superior to one. [...] None the less, it is most reasonable to hold that the *carmen* is founded on an antecedent *cantar*, though we must be cautiously averse from assuming the identity of the erudite and the popular poems. (1928b: 213-14)

Entwistle sostiene que el *Carmen* empezó con la muerte de Fernando I y que, a diferencia del *Cantar*, excluyó el reto a Zamora, pero incluyó, como su desenlace, el entierro de Sancho en el monasterio de San Salvador de Oña. Entwistle reconstruye trozos extensos, por ejemplo, el que describe la batalla de Golpejera:

3 ENTWISTLE contesta aquí a las palabras de MENÉNDEZ PIDAL: "Pudiera haber un poema latino, que sería, en todo caso, inspirado en el vulgar de D. Sancho" (1923: 348).

> *Undique* prospiciens campum Rodericus *et unde*
> *sit rex ignarus*, [vix tandem a longe videbat]
> regem *ubi* bis septem ducebant légionénses.
> Instanter properat sicque *illis eminus inquit:*
> "Quo miseri fugitis? vel quae victoria vobis
> si nostrum fertis, *sed* vestro rege caretis?
> Nostrum reddatís ut véstrum regem habeátis."
> Illi *autem* regem esse suum captum *haud sapientes* —
> nequaquam fieri id *factum* potuisse *putantes* —
> verba [*ut inania*] *habent et contemnunt* Roderici. [...][4]

o las palabras funestas de Urraca:

> Quód Urraca [*quidem*] cum persensisset, obortis
> *iam* lacrimis ait: "O si quis me [*núnc*] liberáret
> áb hac [*infelicem*] angustia et obsidione,
> illi [*non dubito quin*] me meaque omnia darem." (209)

La culpabilidad de Urraca y la motivación abiertamente sexual reveladas por estos versos están atenuadas en la segunda versión del *Cantar de Sancho II* (véanse Aa11, supra, y Deyermond 1988: 778-79). Dichos versos coinciden, en cambio, con la postura del epitafio que había en la tumba del rey en San Salvador de Oña:

> Sanctius, forma Paris et ferox Hector in armis,
> clauditur hac tumba jam factus pulvis et umbra.
> Femina mente dira, soror, hunc vita expoliavit
> iure quidem dempto, non flevit, fratre perempto.
>
> Rex iste occisus est proditore consilio sororis suae Urracae, apud Numantiam civitatem, per manu Belliti Adelfis, magni traditoris. In era MCX, nonis octobris, rapuit me cursus ab horis.
>
> (Reig 1947: 16n)

4 1928b: 208. ENTWISTLE explica (206-07) que todas las palabras agregadas o cambiadas por él van en cursivas, y que las que no son autorizadas por la prosa latina de la *Chronica* van entre corchetes. Los acentos indican el ritmo. Es lástima que los que reconstruyen versos castellanos de prosa cronística no indiquen con la misma escrupulosidad los métodos que adoptan.

Recordemos que según Entwistle el entierro en Oña habría constituido el desenlace del *Carmen.* Entwistle asocia la composición del poema con el monasterio: "We cannot penetrate the poet's anonymity, but we see that as Arlanza was linked to the memory of Fernán González, C[a]rdeña to the Cid and Compostela to all variants of the Roncesvalles story, so Oña cultivated the legend of Sancho the Strong" (1928b: 213). Están de acuerdo P.E. Russell (1978: 73-74) y Francisco Rico (1969: 84-85).

Carola Reig rechaza la hipótesis de Cirot y Entwistle ("en nuestra crónica [la *Najerensis*] nada hace sospechar la existencia de un poema de este género", 1947: 40). Menéndez Pidal, en cambio, pasó de un escepticismo moderado:

> Pudiera haber un poema latino, que sería, en todo caso, inspirado en el vulgar de D. Sancho; pudiera simplemente el tono poético del cantar-romance haber suscitado en el cronista najerense [...] el deseo de elevar el estilo con recuerdos de Virgilio o de otros poetas. (1923: 348n)

a aceptar, unos diez años después (cuando redactaba su *Historia de la épica*), la existencia de un poema latino (1992: 548-51): "Creo muy posible que existiese un *Carmen de rege Sanctio* (no tan sólo *de morte Sanctii*) traduciendo más o menos completamente un cantar de gesta" (550). La hipótesis de Cirot y Entwistle es generalmente aceptada por los investigadores de la segunda mitad del siglo: Russell, como ya hemos visto; Francisco Rico ("Es diáfano que la *Najerense* prosifica una epopeya latina, seguramente en hexámetros rimados 'secundum leonitatem'" (1969: 83); Geoffrey West (1975: 405-13; "The existence of a [...] *Carmen de morte Sanctii Regis* [...] has been amply proven", 405); y Smith (1985: 45-48 y 54-57). No están de acuerdo en cuanto al *Cantar de Sancho II*: Rico está convencido, pero West tiene sus dudas, y Smith lo niega rotundamente. Este consenso fue roto por Roger Wright (1982: 230-31). Wright dice que la reconstrucción de los versos por Entwistle se aleja bastante de la prosa de la *Najerensis* (ya que Entwistle revela exactamente lo que ha cambiado o agregado, esta crítica carece de peso)[5]; que "there is no reason to believe that Latin poems were radically rewritten when being used in Latin histories" (necesitamos más pruebas que el único ejemplo ofrecido por Wright); "nor is there any reason to suppose that laments for dead kings took the form of lengthy leonine hexameters" (de acuerdo, pero no se trata de un *planctus* sino de un poema épico); y que si tal poema se hubiera compuesto poco después de la muerte de Sancho (1272), el poeta habría tenido probablemente formación francesa o catalana, y tal persona habría sido probablemente partidario de Alfonso VI (triple hipótesis que carece de valor probatorio).

Parece bastante seguro, por lo tanto, que hubo un *Carmen de morte Sanctii regis*, y probable que fuera relacionado de una manera u otra con la primera versión del *Cantar de Sancho II*. Pero, ¿de qué manera? ¿Es que el poema latino, compuesto en San Salvador de Oña, sirvió de base para el *Cantar* tradicional? ¿que el *Carmen* fue redacción erudita del *Cantar*, o lo tomó como su punto de partida? ¿o que los dos poemas fueron creaciones independientes, relacionadas sólo por su empleo de fuentes comunes? Necesitamos un nuevo estudio global. [AMF]

5 El optimismo de la reconstrucción de ENTWISTLE se ha hecho un *topos*: "lleno de optimismo" (REIG 1947: 40n), "con bastante optimismo" (RICO 1969: 83), "Even if some of Entwistle's reconstruction is over-enthusiastic [...]" (WEST 1975: 406). Pero nótese que ni RICO ni WEST niega que haya existido el *Carmen de morte Sanctii regis*, y la frase de WEST continúa:

> the existence of the *Carmen* cannot be doubted, since the *Najerense* chronicler merely copied what material lay before him; he did not presume to ornament his texts. The metrical traces cannot therefore be considered instances of the *cursus rhythmicus* or of similar embellishments, but must be vestiges of a Latin poem.

Ab2 González de Mendoza, Pedro. Traducción de la *Eneida*.

Varios biógrafos de Pedro González de Mendoza (1428-94), el Gran Cardenal, hijo del Marqués de Santillana, se refieren a su actividad literaria. Francisco de Medina de Mendoza, al empezar su *Vida, hechos y progresos del Gran Cardenal*, dice:

> Estudió en Toledo rhetórica e híçose muy ábil de historia; e yo he tenido en mi poder algunos libros de mano traducidos por él, dirijidos al Marqués su padre, por que los leyese en castellano, porque no hera latino; y eran un *Obidio* y unas *Eneydas* de Birgilio, de una letra antigua: y para el lenguaje de aquel tiempo, estavan en un buen rromance castellano y casto; y con hir harto asido a la letra y sentido del berso en la prosa castellana, tenía arto buena elegancia clara, donde se muestra su entendimiento y eloqüencia. Y descía en el prólogo que heran travajados en las bacaciones del estudio. Fue en Salamanca, donde estudió su cursso de cánones y oyó leies; y no pudo estar muy largos años, pues el año de cinqüenta y dos, cumpliendo aquel año veinte y quatro de su hedad, vino a la corte y estaba en la capilla del rey don Juan[6].

Algo parecido dice Pedro Salazar de Mendoza en su *Crónica de el Gran Cardenal de España Pedro Gonçález de Mendoça* (publicada en 1625), aunque sin mención de haber visto los manuscritos:

> En las vacaciones de los años que cursó y pasó en Salamanca se dio a traducir algunos libros de latín en castellano, en contemplación de su padre, que holgaba de aquel estudio, por no ser latino. Tradujo con harto primor y elegancia la *Ulisea* de Homero, la *Eneyda* de Virgilio y algunas obras de Ovidio. (Amador de los Ríos 1852: lxxxiv-lxxxv n3)

[6] MENÉNDEZ PIDAL 1908: 399n. MENÉNDEZ PIDAL, como AMADOR DE LOS RÍOS 1852: lxxxiv-lxxxv n3, transcribe una parte del manuscrito. Prefiero reproducir la transcripción de aquél, no sólo porque incluye una frase omitida por AMADOR, sino también porque tengo la impresión de que su transcripción es más cuidada. El título de la obra (distinta de la de su edición moderna), proviene de AMADOR (MENÉNDEZ PIDAL no da título).

Las palabras de Diego Gutiérrez Coronel, en su *Historia general de la casa de Mendoza*, son casi un resumen de las de Salazar de Mendoza: "allí [en Salamanca] tradujo la *Ulisea* de Omero, la *Eneida* de Virgilio y otras obras de Ovidio" (ibid.)[7]. Hace casi noventa años, sin embargo, Mario Schiff se mostró muy escéptico: "Quant à l'*Énéide*, il paraît peu probable que le Cardinal ait pu songer à la traduire, puisqu'il devait savoir, mieux que personne, que Villena l'avait fait" (1905: lxxxiv n6). Escépticos también Ángel Gómez Moreno y Maximiliaan P.A.M. Kerkhof:

> parece ser que los biógrafos de don Pedro arrancan de esta *Carta* [de Santillana a su hijo] y, además, que la leyeron mal, pues le adjudican dichas traducciones sin que haya un solo indicio de que así sea: sucede lo contrario, ya que don Íñigo informa o, más bien, recuerda a su hijo que él ha sido quien ha promovido la vulgarización de ciertas obras. La *Eneida* a la que alude puede ser la de don Enrique de Villena [...] (1988: lxxi)

Veamos las palabras de la carta escrita por Santillana a González de Mendoza "quando estava estudiando en Salamanca" y por lo tanto antes de 1452 (Gómez Moreno & Kerkhof 1988: lxxi):

> Algunos libros e oraciones é recivido por un pariente y amigo mío este otro día que nuevamente es venido de Italia, los quales, assí por Leonardo de Arecio como por Pedro Cándido milanés, de aquel príncipe de los poetas, Homero, e de la historia troyana que él compuso, a la qual *Iliade* intituló, traduxeron del griego a la lengua latina [...] agradable cosa será a mí ver obra de un tan alto varón y quasi soberano príncipe de los poetas [...] Y assí,

[7] La historiadora más reciente de la familia, Helen NADER, dice ambiguamente: "The marquis of Santillana did not feel confident in Latin; so he [...] commissioned translations of the *Aeneid*, Ovid, and Homer from both Enrique de Villena and his own son, the cardinal" (1979: 138). NADER, que tiene el gran mérito de haber investigado los documentos familiares en el Archivo Histórico Nacional, no ha utilizado el libro de Salazar de Mendoza, aunque sí los de Medina de Mendoza y Gutiérrez Coronel.

> ya sea que no vos fallezcan travajos de vuestros studios, por consolación e utilidad mía y de otros, vos ruego mucho vos dispongades, pues que ya el mayor puerto y creo de mayores fragosidades lo pasaron aquellos dos prestantes varones, lo passedes vós el segundo, que es de la lengua latina al nuestro castellano idioma. [...] A ruego e instancia mía, primero que de otro alguno, se han vulgarizado en este reyno algunos poetas, assí como la *Eneyda* de Virgilio, el *Libro mayor de las transformaciones* de Ovidio, las *Tragedias* de Lucio Anio Séneca e muchas otras cosas en que yo me he deleytado fasta este tiempo e me deleyto y son assí como un singular reposo a las vexaciones y travajos que el mundo continuamente trae, mayormente en estos nuestros reynos. Assí que aceptado por vós el tal cargo, principalmente por la excelencia de la materia y clara forma del poeta, e después por el traduzidor, non dubdedes ésta que todas las otras será a mí muy más grata. (Gómez Moreno & Kerkhof 1988: 455-57)

Tenemos, pues, dos indicaciones contrarias. Tanto Schiff como Gómez Moreno y Kerkhof tienen razón al subrayar que la carta de Santillana pide a su hijo tan sólo una traducción de la *Ilíada*, y que habla de la *Eneida* únicamente como obra traducida por otra persona a petición suya; hay que decir también que el prólogo de la *Ilíada* que ha sido identificada como obra de González de Mendoza (Morel-Fatio: 1896: 420-29) menciona a Virgilio sólo de paso, y no dice nada de una traducción. Por otra parte, Menéndez Pidal tiene igualmente razón al decir: "no creo concluyente la crítica negativa de Schiff [...], pues no distingue entre el testimonio tardío de Salazar y Mendoza, y el más autorizado de Francisco de Medina" (1908: 399n). El libro de Salazar de Mendoza fue publicado en 1625 (el autor murió en 1629; Gutiérrez Coronel nació en 1724 y murió en 1792), mientras que Medina, que vivió desde 1516 a 1576, no sólo es testigo directo ("yo he tenido en mi poder algunos libros de mano traducidos por él"), sino que podría haber hablado con personas que habían conocido a Pedro González de Mendoza. Los testigos directos pueden equivocarse, o incluso mentir, desde luego, pero no hay razones obvias para sospechar ni lo uno ni lo otro en este caso[8]. Por lo tanto, aunque es probable que no hubiera nunca una *Eneida* traducida por González de Mendoza para su padre, no debemos excluir la posibilidad. [CBF]

Ab3 Traducción de la *Ulisea*

Los textos necesarios ya van citados en la entrada Ab2. Sólo hay que recordar que, aunque Salazar de Mendoza, y por lo tanto Gutiérrez Coronel, dicen que González de Mendoza tradujo la *Ulisea*, Medina —el único testigo de vista— no lo dice. Schiff no se dio cuenta de esta diferencia fundamental ("Francisco de Medina, Salazar de Mendoza, et d'autres biographes du Cardinal disent qu'il a traduit pour son père l'*Odyssée* d'Homère [...], 1905: lxxxiv n6), pero Menéndez Pidal sí la comenta ("las palabras de Francisco de Medina no contienen el error de Salazar de confundir una *Ulisea* con una *Iliada*", 1908: 399n). A pesar de su error, Schiff es tan escéptico como en el caso de la *Eneida*: "Ces renseignements semblent être le résultat de multiples confusions. Pour Homère, c'est sans doute de la version de l'*Iliade* qu'entendent parler les biographes de Pedro Gonzalez" (1905: lxxxiv n6), y su escepticismo es compartido por Gómez Moreno y Kerkhof (1988: lxxi). No es imposible que González de Mendoza se haya dedicado a una traducción de la *Ulisea*, pero no hay razón suficiente para creerlo. [CBF]

8 MENÉNDEZ PIDAL sigue:

> No se puede dudar razonablemente que Francisco de Medina vio las traducciones del cardenal, leyó el Prólogo al Marqués, y examinó con atención el contenido, comparándolo con los originales latinos: luego hay que desechar toda suposición de trueque de nombres en los autores traducidos. (1908: 399n)

Ab4 *Rimas sobre la presón de Mallorca*

El inventario de la biblioteca barcelonesa del rey Martí I, el Humano, de Aragón fue recopilado en 1410 (Massó Torrents 1908; análisis sumario en Faulhaber 1987: núm. 198). Incluye entre los 349 libros:

> Un libre apellat *Rimas sobre la presó de Malorques*, en castellá, scrit en paper; ab posts de paper engrutades, ab cuberta de cuyro vermell, empremtades ab senyal reyal et ab dos tancadors de bagua. Lo qual comença: "En el nombre de Dieus. El mi comensamento"; e faneix: "elgunne ves provados". (Massó Torrents 1908: 425; Menéndez Pidal 1957: 297n2; Ubieto Arteta 1981: 349-50)

Menéndez Pidal comenta acertadamente que "Dieus" no es castellano sino aragonés, y que por lo tanto parece que el recopilador catalán del inventario no distinguía entre los dos dialectos (1957: 297-98n2). Dice a continuación, y de nuevo con razón, que se trata de un poema en cuaderna vía (además de la métrica, el primer verso recuerda el del *Libro de Apolonio*), y que "el estar encuadernado aparte y formar un 'libre' nos indica que [...] se trata [...] de un relato extenso". La hipótesis de que "probablemente la publicación de este poema histórico estaría encomendada a los juglares" (1957: 297-98) se relaciona con la cuestión del género: si fue así, hay que pensar en un poema comparable con el *Poema de Alfonso XI*, tratado en el próximo párrafo del trabajo de Menéndez Pidal (véase la nota 1, supra).

Antonio Ubieto Arteta (1988: 350) aprueba estas opiniones de Menéndez Pidal, pero discrepa de lo que dice de la fecha. Según éste,

> es evidente que ese poema no había de referirse a la conquista de 1228 contra musulmanes. Tampoco trataría de la expedición que Pedro III ordenó el año de su muerte, 1285, en la que el infante y luego rey don Alfonso se posesionó de la isla, pacíficamente, sin resistencia. Sin duda se refería a la incorporación definitiva del reino de Mallorca a la corona de Aragón en 1343, cuando Pedro

el Ceremonioso desembarcó a viva fuerza en la isla. (1957: 297-98n2)

Ubieto Arteta, en cambio, cita una frase de la *Crónica* de Ramon Muntaner, obra empezada en 1325, el cual, refiriéndose a la conquista lograda por Jaume I en 1228, añade "segons que porets entendre en lo llibre que de la dita presons se feu" (1988: 350), lo que parece ser una alusión a las *Rimas*. Apunta que hay tres narraciones cronísticas de dicha conquista de Mallorca: la del propio Jaume I y las de Desclot y de Muntaner, y sigue: "se puede observar que las dos últimas tienen más paralelismos con la documentación emitida por la cancillería real", mientras que en la de Jaume I "se contienen algunos elementos que parecen responder a una tradición épica" (350). "En tanto no aparezca este libro de *La presón de Mallorca*", dice, "considero que posiblemente esté prosificado en la *Crónica* del mismo rey Jaime I, aunque pudiera haber algunos indicios en la de Muntaner" (350-51). Como ya hemos visto (p. 128, supra), la hipótesis de la prosificación de poemas épicos en las crónicas catalanas ya no goza de tanto prestigio como antes, pero esto no afecta a la argumentación de Ubieto Arteta sobre la fecha de la conquista tratada en las *Rimas*. Su hallazgo nos da un siglo (de 1228 a 1325) para la composición del poema, pero su hipótesis de la prosificación restringe este periodo a medio siglo, ya que Jaume I murió en 1276. No suscitaría ningún problema una fecha hacia el fin de este periodo (o sea, un poco antes de la del *Poema de Fernán González*), pero sí ocasiona problemas la conjetura final de Ubieto: "Y también creo —sin base documental alguna— que pudo estar más cerca de 1228 que de 1276" (351). Interpretada literalmente, dicha conjetura nos llevaría a una fecha antes de 1250, pero da la impresión de que Ubieto pensaba en una fecha muy cerca del acontecimiento, o sea, poco después de 1230. Éstos son los años de las primeras obras de Gonzalo de

Berceo (véase Dutton 1976), y —a menos que aceptemos la hipótesis de Amaia Arizaleta (1994), según la cual el *Libro de Alexandre* se compuso en el reinado de Alfonso VIII de Castilla— colocaría las *Rimas* en los primeros años del mester de clerecía, conclusión muy sorprendente tratándose de un poema aragonés dentro de un movimiento poético que parece haber originado en Palencia. Mejor pensar, pues, en un poema de fines del siglo XIII o del primer cuarto del XIV que celebra una conquista realizada en 1228. Tal vez valga la pena pensar de nuevo en la expedición de Pere III, en 1285, que podría haber motivado a un poeta aragonés a cantar una conquista anterior. [IUM]

Ab5 Villena, Enrique de. Traducción glosada de la *Eneida*

Villena, nacido hacia 1384 y muerto en 1434, ha sido calificado de, acaso, "el personaje príncipe de la vida intelectual española del primer tercio del siglo XV" (Cátedra 1989: ix). Su proyecto de mayor envergadura fue la traducción glosada de la *Eneida*, iniciada hacia 1427-28, en la etapa final de su actividad intelectual (es probable que las glosas constituyeran su última obra). Se conservan un Proemio bastante largo, la traducción de los libros I-XII, y las glosas al Proemio y a los libros I-III. No nos queda ningún vestigio de las glosas a los libros IV-XII. No es seguro que se redactaron: Pedro M. Cátedra ha comentado "las dificultades que hay para fijar hasta dónde llegó Villena en su labor de glosador cuando le sorprendió la muerte" (1985: 56).

No sería sorprendente si las glosas no se hubieran extendido más allá del libro III: no sólo constituyen un enorme esfuerzo intelectual (cuya importancia se comenta, por ejemplo, en Weiss 1990: cap. 3), sino que también son mucho más largas que la traducción misma. En el libro I, por ejemplo, la traducción tiene unas 11.000 palabras, y las glosas unas 46.000 —es decir, cuatro veces más. El testimonio de la tradición manuscrita es ambiguo. Demuestra una acusada separación entre los libros I-III, con el Proemio, y los libros IV-XII, lo que da a sospechar que los copistas hayan reconocido una diferencia entre la parte glosada y la no glosada[9]. Por otra parte, hay una tendencia igualmente acusada a separar texto y glosas: dos manuscritos contienen sólo el texto, uno contiene sólo glosas, uno (defectuoso) contenía texto y tal vez un fragmento de glosas, y sólo uno nos proporciona el texto con las glosas correspondientes[10]. Ya que hay un manuscrito del texto de los libros I-III sin sus glosas, otro manuscrito con las glosas a los libros I-III sin su texto, y un tercero con el texto de IV-XII sin sus glosas, no hay nada inverosímil en la hipótesis de un cuarto manuscrito, ahora perdido, que habría contenido las glosas a IV-XII sin su texto. No digo que haya existido tal manuscrito, pero no podemos descartar la hipótesis sin más.

[9] De los cinco manuscritos del siglo XV, tres se restringen a los libros I-III, con o sin el Proemio (véase CARR & CÁTEDRA GARCÍA en prensa: apart. Cab7).

[10] Según CARR & CÁTEDRA GARCÍA (en prensa: Cab7), el contenido de los manuscritos es:

O (Santander, Bibl. Menéndez Pelayo, M/102, núm. 64): Proemio y I-III (texto)
P (Paris, BN, esp. 207): IV-XII (texto)
T (Madrid, BN, 10.111): I-III (glosas)
V (Sevilla, Bibl. Colombina, 82-1-1): I-VI (texto) y quizás un fragmento de glosas
A (Madrid, BN, 17975): Proemio y I-III (texto y glosas)

B. ROMANCES

B. ROMANCES

CUATRO CUESTIONES GENERALES afectan profundamente a nuestro cálculo de la pérdida de romances medievales. La primera es la de la oralidad (véanse las pp. 50-53, supra). No hay duda alguna de que el estilo formulario es un recurso importantísimo en muchos romances viejos: el estudio innovador de Ruth House Webber (1951), apoyándose metodológicamente en las investigaciones de Milman Parry —diez años antes de que el libro de Lord (1960) despertara el interés de otros hispanomedievalistas—, revela un porcentaje de estilo tradicional (fórmulas más otras repeticiones) que varía entre 2 y 68; en la gran mayoría de los romances estudiados el porcentaje está entre 20 y 50. Webber dice en su Conclusión:

> Because we know that a ballad has always been subject to constant change and modification as it has been repeated by word of mouth, the identity of a given ballad has been maintained by the story it tells. It is the ballad tale that remains in the singer's mind. When he sings it, he does so by retelling the story in ballad terms, that is, using the body of traditional language and diction with which he has been so long imbued. Whether that story came to him as a ballad from another singer, as a folk tale, as a true occurrence, or from any other source, the process is essentially the same. In other words, ballad singing must always involve extemporaneous composition. It is a process of combining remembered terms rather than reciting from memory. (1951: 253)

Dicha conclusión no se puede aplicar fácilmente, desde luego, a los romances que presentan un porcentaje mínimo de fórmulas, pero lo que importa ahora es lo innovador que es el trabajo de Webber, trabajo que abrió el camino para el artículo de Bruce A. Beatie (1964) y la tesis más atrevida de

Orest R. Ochrymowycz (1975). Hasta cierto punto se anticipa también, en el párrafo siguiente, a los estudios de Diego Catalán (1970-71 y 1978) y Ana Valenciano (1992) sobre la importancia excepcional de la memoria en la transmisión del romancero:

> one might logically expect that various versions of a specific ballad would show enormous discrepancies instead of being handed from century to century virtually intact. The latter result is brought about in two ways. The first, which may seem almost paradoxical, is the great fidelity of the memory of the ballad singers for the details of the narrative. Second, if variants occur, they will fall within prescribed bounds — that of formulas available to describe the situation or action.

Hay en efecto cierta dificultad al conciliar estos dos aspectos —quizás mayor dificultad de lo que parece al leer la página de Webber— y Catalán y Valenciano demuestran que el elemento de memorización tiene más importancia en el romancero que en los cantos épicos yugoeslavos:

> la poesía tradicional debe su esencia al juego combinado de dos tendencias de signo contrario: la renovación incesante de los textos heredados, mediante múltiples iniciativas independientes, y la retención selectiva de motivos, variantes o versos procedentes de tiempos pasados, que la memoria colectiva se complace en repetir. (Catalán 1970-71: 452)

Ana Valenciano lo dice con aún más énfasis:

> La memoria cumple así en la tradición romancística un papel tan importante como el de la improvisación en la épica oral yugoslava. Sin perder de vista la incidencia de las variaciones y refundiciones en la transmisión del Romancero, debe reconocerse la prioridad de la conservación frente a la renovación, que, a diferencia de la que se produce en la transmisión de la épica yugoslava, es, en la diacronía romancística, una re-creación conservadora. (1992: 40)

No hay que pensar, por lo tanto, en millones de romances perdidos. El número de los perdidos tiene que ser, sin embargo, bastante elevado: si echamos un vistazo a las variedades existentes de un romance —por ejemplo, los romances sefardíes de tipo épico recogidos en el Archivo Menéndez Pidal—, vemos que la relativa estabilidad de la tradición no impide la creación de muchas versiones bastante distintas (véase Armistead et al. 1978: I, 77-99). Es ineludible la conclusión de que muchas se habrán perdido, y no sólo en la tradición sefardí sino en otras tradiciones orales modernas, y es razonable suponer una pérdida más intensa a fines del siglo XV y en el XVI, cuando algunos textos se seleccionaron para la imprenta en pliegos sueltos. Entre principios del siglo XIV y fines del XV, cuando unos pocos romances se resumieron en las crónicas (véase, por ejemplo, Entwistle 1930) y poquísimos se copiaron en manuscritos, la proporción de pérdidas debe de haber sido aún mayor. El número de versiones perdidas, por lo tanto, llegará a unos millares.

La segunda cuestión es la de la antigüedad del género. Los primeros romances históricos existentes que se pueden datar surgen de acontecimientos del primer tercio del siglo XIV (las dificultades de datar con la exactitud deseada los romances épicos o los novelescos son obvias). No se puede decir con seguridad que el romance del emplazamiento y muerte de Fernando IV (cpse B16, infra) se compusiera ya en 1314, puesto que la muerte prematura de un rey es acontecimiento que se recordará bastante tiempo, pero el episodio del Prior de San Juan, en 1328, sí tiene que haber ocasionado sin demora el romance que le corresponde (véanse Gardiner 1939; Catalán 1969b: cap. 1; Di Stefano 1988a). El primer manuscrito de un romance, sin embargo, es de 1421. Resulta diáfano que los romances castellanos tienen como mínimo un siglo de vida antes de su primer manuscrito existente. Pero, ¿cuántos siglos de vida? Si Roger Wright (1985-86) tiene razón, se habrá cantado desde el siglo VIII un gran número de versiones anteriores a los primeros romances conocidos sobre temas determinados, y un número bastante elevado de romances sobre temas no representados en el romancero existente. Samuel G. Armistead ofrece, sin embargo, argumentación y pruebas de mucho peso contra las hipótesis específicas de Wright (1986-87a). Acepta que "Something like ballads may well have been sung early on, but the fact is that we do not know very much about what such poetry was like" (1986-87a: 53). Está de acuerdo, pues, en que hubo gran número de romances tempranos, ahora perdidos, pero mientras que la hipótesis de Wright define el asunto de muchos de ellos, la de Armistead acepta que es imposible saber, aun en los términos más generales, qué fueron.

La tercera cuestión es la de la distribución de romances determinados entre las diversas tradiciones romancísticas. Si un romance existe sólo en una o dos tradiciones (por ejemplo, la sefardí y la americana), es razonable suponer que habrá existido en otras tradiciones también. Pero, ¿en cuántas?

Hay que pensar —es la cuarta cuestión— en la otra frontera del romancero medieval. Todos estamos de acuerdo en que un romance sobre la batalla de Lepanto o sobre el desastre de 1588 no se debe incluir, por muy tradicional que sea su técnica. Pero, en el otro extremo, nadie negaría que un romance es medieval sólo porque carece de testigos manuscritos o impresos del siglo XV. Hay romances que se conservan en impresos de fines del siglo XV, pero la gran mayoría de los textos antiguos provienen de pliegos sueltos y luego de cancioneros de romances del XVI (véase Di Stefano 1977). Estos textos del XVI son aceptados, con toda razón, como romances medievales si surgen directamente de acontecimientos de la Baja Edad Media (romances fronterizos, por ejemplo), o si son romances épicos o novelescos cuyo estilo es el del romancero viejo. Y lo mismo se puede, y se debe, decir de las versiones orales recogidas por los investigadores del siglo XX. El criterio es bastante sencillo, pero a veces se presentan dificultades cuando hay que aplicarlo a un caso determinado.

Además de estas cuatro cuestiones, que afectan fundamentalmente a nuestro cálculo del número de romances medievales perdidos, hay dificultades prácticas al tratar de construir un catálogo. Sabemos a veces que un grupo de romances se ha perdido casi por completo. El ejemplo más notorio es el de los romances de los partidarios del rey don Pedro: hay muchos romances compuestos por el partido de los Trastámara (véanse Entwistle 1930; Mirrer-Singer 1986), pero tenemos tan sólo un romance existente que se muestra relativamente favorable al rey legítimo ("Entre la gente se dize", Menéndez Pelayo 1944-45: núm. 67; Di Stefano 1993: núm. 69; véanse Entwistle 1930: 319; Mirrer-Singer 1986: 43-53), y tres versos de otro (B23, infra) que parece haberse comprometido totalmente a su partido. Dice Diego Catalán:

> Su visión de los acontecimientos hostil a los enemigos del rey don Pedro, frente a la mayor parte de los romances conocidos, que son claramente hechura del partido Trastamara, nos evidencia la existencia de una guerra civil romancística durante los propios años del reinado de Pedro I. Muchos romances noticiero-polémicos debieron circular en uno y otro bando, y después de la vida efímera quedar sepultados en el olvido; especialmente los favorables a la víctima de Montiel, por ser poco gratos a la dinastía reinante y a la nobleza todopoderosa. Los tres versos [de "Mi compadre Gómez Arias", B23, infra] son hoy quizá la sola voz antigua y directa de la pasión partidista de miles de gargantas, enemigas de los bastardos y excitadas en la sangrienta guerra fratricida. (1969b: 81)

La depuración trastámara suprimió tan eficazmente los otros romances de este tipo que no tenemos indicación alguna que pueda constituir la base de una entrada en el catálogo.

Hay en cambio una fuente de información muy valiosa para el conocimiento de buen número de textos que circularon en el siglo XVI pero que se perdieron. No me refiero al estudio de la tradición oral moderna, que sí nos ofrece indicaciones utilísimas pero inevitablemente conjeturales. La fuente que nos proporciona datos exactos, con un verso del texto perdido, es las ensaladas, que citan muchos romances existentes y buen número de los perdidos (véanse Piacentini 1981 y 1984; Gornall 1991; Armistead 1992). [SGA]

Si no fuera por las ensaladas, esta sección del catálogo quedaría muy reducida. Aun así, hay que reconocer lo provisional y lo defectuosa que es: más provisional y más defectuosa, me temo, que ninguna otra. Es de esperar que se mejore en una edición posterior.

B1 "A caça va el rey don Bueso por los montes a correr"

Citado en *Aquí comiença un romance de un desafío [...] más una ensalada de muchos romances viejos y cantarcillos* ([Burgos, h. 1560]). Giuliana Piacentini (1984: 1147, núm. 61) sugiere que los versos provienen de un romance novelesco[1]. Es posible precisar más. Don Bueso "fue personaje épico, enlazado con la leyenda de Bernardo del Carpio en sus más antiguas formas" (Menéndez Pelayo 1944-45: IX, 192). Pasa a ser héroe de varios romances de la tradición oral moderna, en la cual rescata a una hermosa esclava y luego la reconoce como su hermana perdida. Menéndez Pelayo publica dos romances de la tradición asturiana (IX, 191-95), y hay dos tipos en el romancero sefardí, H2 (romances estróficos, con 40 versiones) y H3 (asonantados en *í-a*, con cinco versiones) (Armistead et al. 1978: I, 269-78). La historia de la cual provienen los romances de don Bueso está muy difundida en el resto de Europa, especialmente en el Norte, con el poema épico alemán de *Kudrun* (¿hacia 1240?; véase Wailes 1983) y buen número de baladas escandinavas y alemanas (Menéndez Pidal 1933).

B2 "A cavallo va Bernardo"

Estas palabras se conservan en los *De musica libri septem* de Francisco Salinas (Salamanca, 1577).

[1] Para cada una de sus entradas, PIACENTINI proporciona los datos bibliográficos correspondientes. Éstos no se repiten aquí, por lo tanto, si no hay motivo especial para hacerlo.

Armistead comenta (1986-87a: 59n3) analogías en las palabras iniciales de cuatro romances existentes y en una copla latina de Alemania de hacia 1020.

B3 "Aquí viene Montesinos que nos viene a matar"

Romance carolingio, como apunta Piacentini (1984: 1161, núm. 132). Citado en el Pastor Frexano, *Relación verdadera de la santa Unión [...] van las coblas glossadas al cabo con romances antiguos* (Barcelona: Gabriel Graells & Giraldo Dotil, 1606).

B4 "Buena pascua y ventura"

El anónimo juego trobado, "En Ávila por la A"[2], incluye entre sus muchas citas de poesías líricas y otras:

"Buena pascua y ventura"
a tres vozes cantarán
por quitarle de tristura [...]
(vv. 34-36; Dutton ID 2305)

Jane Whetnall dice: "The four other traditional quotations [las que no son líricas] in 'En Ávila por la A' are probably all ballad lines" (1986: 204). Una de ellas (B36, infra) ya había sido identificada como el comienzo de una versión de un romance del siglo XIV (B23, infra), y otra (B38, infra) es introducida con las palabras "por canción este romance". Whetnall dice a continuación: "Neither of the other two [...] is introduced as a ballad but they seem closer to the ballad idiom than to either the courtly or the traditional lyric."

B5 "Cansado de combatir y de lidiar con los moros"

Citado en *Obra nueva llamada la vida del estudiante pobre, diligente y industrioso [...]* (Valencia: Herederos de Juan Navarro, 1593). Piacentini (1984: 1153-54,

2 DUTTON & KROGSTAD 1990-91, ID 2304. El poema se conserva sólo como el núm. 200 del *Cancionero de Herberay des Essarts* (AUBRUN 1951: 188-96).

núm. 99), comentando lo que parece una cita de un romance épico, ofrece como analogía los versos 3-4 de "Estando en paz y sosiego" (Durán 1849-51: núm. 630): "que de lidiar con los moros estaba muy fatigado".

B6 "Cata la mesa redonda do los doze comen pan"

Citado en Luis de Aranda, *Glosa peregrina [...] va glosando pies de muchos y diversos romances* (Úbeda, 1560). Piacentini (1984: 1145, núm. 49), clasificándolo como romance carolingio, compara los versos citados con "En misa está el emperador" (Menéndez Pelayo 1944-45: VIII, núm. 194), vv. 11-12: "con él estaban los doce que a su mesa comen pan".

B7 *La condesa traidora*

El romancero viejo no nos ofrece ningún texto relacionado con la *Condesa traidora* épica (Aa4-5, supra): Diego Catalán dice que "De la leyenda de la Condesa Traidora conocemos cuatro romances cronísticos y uno artificioso, obra este último de Juan de la Cueva" (Menéndez Pidal et al. 1957-63: II, 266). Dice a continuación, sin embargo: "Hubo más, sin ninguna duda, como parece demostrarlo la tradición oral moderna, que canta de la fallida traición de la condesa, en Palencia, León, Asturias y Lugo"[3]. Es posible que los romances modernos provengan de los textos eruditos, pero es más probable que desciendan de uno o más romances tradicionales.

B8 "¿De dónde venides, Zid, que en corte no abéis estado?"

Citado en la *Glosa de muchos rromanzes* (principios del siglo XVII). Piacentini (1984: 1160, núm. 126)

[3] El romance sefardí de *La condesa traidora* (M12 del Archivo Menéndez Pidal; ARMISTEAD et al. 1978: II, 82-83) no parece relacionado con el poema épico.

sugiere que es posiblemente una versión de "Por Guadalquivir arriba" (Menéndez Pelayo 1944-45: VIII, num. 58), pero no comenta la existencia de versiones de "¿Dónde habéis estado, el Cid?" en la tradición oral moderna de Marruecos, Macedonia, Andalucía, Madeira y Venezuela (véanse Bénichou 1968: 13-39; Catalán 1970-71: 458-61; Armistead et al. 1978: I, 93-96). La versión en el repertorio del cantor gitano Juan José Niño es comentada por Beatriz Mariscal de Rhett (1989) y por Teresa Catarella (1988, 1993). Hay en efecto cierta semejanza con "Por Guadalquivir arriba", pero es indudable que los versos citados provienen de un romance perdido del siglo XVI, relacionado con las versiones modernas.

B9 "De las ganancias del Cid, senhores, no aiais codicia"

Citado en las *Trovas feitas aos genoeses [...]*, en el *Cancioneiro de corte e de magnates* (h. 1597-98). Piacentini (1984: 1156, núm. 111).

B10 "En el adarve de Çamora grandes alaridos se dan"

Citado en *Obra nueva llamada la vida del estudiante pobre* (véase B5, supra). Piacentini dice "¿Ciclo del cerco de Zamora?" (1984: 1154, núm. 101). No me parece que haya razones para hacernos dudar de la clasificación del romance perdido citado aquí: deriva del *Cantar de Sancho II*.

B11 "En los moros quando moço el buen Cid campeador"

Citado ibid. Piacentini (1984: 1152, núm. 91) lo atribuye —obviamente con razón— al ciclo romancístico del Cid.

B12 "En Roncesvalles morieron los doze pares de Francia"

Citado en las *Trovas feitas aos genoeses* (véase B9, supra). Piacentini (1984: 1156, núm. 108) lo atribuye, otra vez más con razón, al ciclo carolingio.

B13 "En Valencia está el buen Cid en essa yglesia mayor"

Citado en *Aquí comiença un romance* (véase B1, supra). Piacentini (1984: 1150, n‹m. 80) apunta una analogía con "En Valencia estaba el Cid doliente del mal postrero" (Durán 1849-51: n‹m. 894).

B14 "Era quatrocientos nueve"

El catálogo de una venta madrileña de unos 450 manuscritos, precedentes en su mayor parte de una biblioteca particular andaluza, termina con una sección de "Poesías antiguas" (*Catálogo* h. 1820: 16)[4]. La entrada núm. 446 es "Romance antiguo, que empieza: *Era quatrocientos nueve*". El sentido de "romance" ya no se había fijado definitivamente en 1820, y la entrada núm. 445 utiliza "coplas" para referirse a lo que son obviamente romances de Calaínos y de Gaiferos. Sin embargo, la métrica confirma que se trata efectivamente de un romance. Varios manuscritos de esta sección son de obras largas (los *Proverbios morales* de Santob de Carrión, 444; el *Cancionero de Baena*, 449; el *Libro de Buen Amor*, 451), pero hay uno al menos que es mucho más corto (una disputa del alma y el cuerpo, 439), de

[4] La primera noticia de este catálogo, según creo, fue dada por Pascual de GAYANGOS (1860: 231n2), calificándolo de "sumamente raro". En efecto, el único ejemplar que he visto está en la biblioteca de la Hispanic Society of America, a la cual fue regalado el 8 de febrero de 1956 por Archer Mn Huntington. Las entradas van numeradas a mano. El catálogo dice:

> Se hallará en la Librería de Claros, calle del Arenal, en que darán razón de la venta de muchos de estos manuscritos, y de otros raros, cedidos a beneficio de una obra pía.

modo que no es obstáculo que un romance ocupe un manuscrito entero.

El primer verso no es insólito en el romancero. En los pliegos sueltos del siglo XVI encontramos "Andados los años treinta" (Piacentini 1981: núm. 9), "Andados treinta y seis años" (núm. 10), "A veynte y siete de julio" (núm. 16), y sobre todo "El año de cuatrocientos que noventa y dos corría" (núm. 48). No hay posibilidad, sin embargo, de adivinar el asunto del romance.

B15 "Una fama que se suena"

> Cantará por buena estrena
> Mossén Johan de Madrigal
> "Una fama que se suena"
> con voz de val de Roncal [...]
> (Aubrun 1951: 195, vv. 394-97)

Como "Buena pascua y ventura" (B4, supra), este verso (Dutton ID 2318) es citado en el anónimo juego trobado, "En Ávila por la A", y Jane Whetnall (1986: 204) concluye que se trata probablemente de un verso de romance.

B16 *Fernando el Santo*

Ya vimos (p. 159, supra) que el episodio más antiguo que inspira directamente un romance existente es la muerte inesperada de Fernando IV, con la consiguiente leyenda de su emplazamiento. Hay tres versiones del romance en los impresos del siglo XV y una en un manuscrito del XVII. Las investigaciones de Giuseppe di Stefano resultan en un *stemma* provisional, dividido entre el grupo temprano (representado por el manuscrito, que es copia de una obra bastante anterior, y un pliego suelto — ¿h. 1515-19? — titulado *Romance fecho a la muerte de don Pedro Carvajal y de don Alonso su hermano*) y un grupo posterior (representado por dos pliegos sueltos, por un texto del *Cancionero de romances* de Amberes [¿1547?] y por un texto de la *Primera parte de la silva de varios romances*). Ramón Menéndez Pidal (1953: I, 310-12) llama la atención sobre "los primeros veinte octosílabos, trozo de asonancia distinta *-éa*, que para nada se relaciona con el asunto principal, el emplazamiento, asonantado en *-áo*, y aun le contradice" (311):

> Válame Nuestra Señora que dizen de la ribera
> donde el buen rey don Fernando tuvo la su cuarentena.
> Dende el miércoles corvillo hasta el jueves de la cena
> el rey no afeitó su barba ni se lavó su cabeça;
> una silla era su cama, un canto su cabecera;
> cuarenta pobres comían cada día a la su mesa,
> de lo que a los pobres sobra el rey hazía su cena;
> con vara de oro en mano bien haze servir su mesa.
> Dízenle sus cavalleros dó havía de tener la fiesta.
> "A Jaén," dize, "señores, con mi señora la reina."
> (*P* (pliego suelto, s.a.), vv. 1-10; Di Stefano 1988a: 927)

Di Stefano confirma (1988a: 914-16), a partir de sus investigaciones pormenorizadas, la hipótesis de Menéndez Pidal, es decir, que los versos citados provienen de un romance sobre Fernando III, el Santo, y que se contaminaron posteriormente con el romance del emplazamiento a causa de la mención del "buen rey don Fernando" (sin número, naturalmente) en el verso 2. Es imposible saber si los versos existentes representan la mayor parte de un romance corto o meramente el exordio de un romance largo. No se puede tampoco datar el romance de *Fernando el Santo*, pero es posible que se haya compuesto durante su reinado o poco después (a mediados del siglo XIII), dos o tres generaciones antes del romance de la muerte de Fernando IV. Hay que recordar en este contexto otra hipótesis de Menéndez Pidal, la que se refiere a *El juglar Paja* (B22, infra).

B17 *Galiana*

Ya queda comentado, en el estudio de *Mainete* (Aa20, supra), un romance sefardí sobre Galiana, romance cantado en los años 30 y 40 de nuestro siglo (véanse Stern 1959; Armistead et al. 1978: I, 100-01 y 140, III, 8-9 y 12). Es casi inconcebible que descienda directamente del poema épico perdido, de la prosa cronística alfonsí, de la *Gran conquista de Ultramar* o de las *Bienandanzas y fortunas*. La única hipótesis que convence es que uno o más romances, derivados del poema épico, se cantaron en el siglo XV (cuando habrían contribuido muy posiblemente a las fuentes de las *Bienandanzas*), y pasaron a la tradición sefardí.

B18 "¡Hernandarias, Hernandarias, cómo mueres mal logrado!"

Citado en Joachim Romero de Cepeda, *Nueva guerra en muy graciosos desparates que glosan romances viejos*. Piacentini (1984: 1159, núm. 118) dice: "Estos versos, que no encuentro en ningún romance conocido, pueden referirse igualmente al tema de 'Por aquel postigo viejo' o de 'Buen alcalde de Cañete'." El primer romance referido por Piacentini (Durán 1849-51: núm. 804; Menéndez Pelayo 1944-45: VIII, núms. 50 y 50a) es del Cerco de Zamora:

viene un cuerpo de un finado;
Fernán d'Arias ha por nombre, fijo de Arias Gonzalo.
Llorábanle cien doncellas [...] (núm. 50, vv. 4-6)

Los versos citados en la ensalada no se encuentran en ningún texto de "Por aquel postigo viejo", pero cabrían perfectamente, tanto por el contenido como por la asonancia, dentro del llanto de las cien doncellas. Es muy posible, por lo tanto, que los versos formaran parte o de una versión ahora desconocida de "Por aquel postigo viejo" o de otro romance sobre el mismo asunto.

"Buen alcaide de Cañete" (Durán 1849-51: núm. 1054; Menéndez Pelayo 1944-45: VIII, núms. 73 y 73a), en cambio, narra un suceso de la guerra fronteriza, de 1410:

> El mi hijo Hernandarias   muy mala cuenta me ha dado:
> encomendele a Cañete,   muerto fuera en el campo.
> (núm. 73, vv. 7-8)

De nuevo, es apropiada la asonancia, pero el contenido no tanto, ya que ningún texto de "Buen alcaide de Cañete" incluye un llanto dirigido al joven muerto. Es todavía posible que los versos de la ensalada hayan provenido de otro romance sobre el acontecimiento, pero es más probable que pertenezcan a la tradición del *Cantar de Sancho II*.

B19 "El infante don Fernando"

Juan de Mata Carriazo dice que:

> Conocida es la estrecha relación que existe entre la poesía de los romances y la historiografía castellana del siglo XV. [...] La fecha de redacción del *Victorial* y su carácter caballeresco lo hacen campo del mayor interés para esta investigación. (1940b: xxxv)

Sin embargo, continúa, "sólo en dos lugares encuentro vestigios de romances". Uno está al principio del capítulo 96 (Carriazo 1940b: 316; Beltrán Llavador 1994: 499), donde la primera frase se divide fácilmente en tres octosílabos:

> El ynfante don Fernando,
> después que tomó Antequera,
> partió dende muy honrado.

La reconstrucción de un romance no puede seguir, pero esto no constituye obstáculo insuperable para la hipótesis de Carriazo. Para el primer verso, compárese el *Romance de don Galcerán de Pinos*:

El infante don Fernando estando sobre Almería

que es el primer romance tanto en la *Rosa española* de Juan Timoneda, impresa en 1573 (Rodríguez-Moñino 1973: I, 564), como en el *Sexto quaderno de varios romances los más modernos que hasta hoy se han cantado*, en la edición de 1598 (Rodríguez-Moñino 1970: 624, núm. 1156).

B20 "El Infante don Gayferos es ydo a buscar amores"

Citado en *Relación verdadera de la santa Unión* (véase B3, supra). Piacentini (1984: 1161, núm. 131) dice sólo "Ciclo Carolingio", pero merece la pena una investigación de la relación del romance citado con otros de Gaiferos (véanse Severin 1976; Di Stefano 1985), y por lo tanto con la tradición de *Waltharius* (p. 55, supra). Cpse B33, infra, y Piacentini (1981: núms. 14, 74, 102 y 104).

B21 *Jaén la guerrera*

Juan de Mata Carriazo dice, al hacer su edición de *El Victorial*, que los *Hechos del Condestable don Miguel Lucas de Iranzo* (véase Soriano del Castillo 1991) son "una crónica saturada de romances" (1940b: xxxv), y en la introducción a su edición de esta obra dice que "Lo que abundan [...] son las referencias a romances, la genuina poesía de la frontera, de tanto valor histórico", y que "El autor da por sabido otros romances más antiguos, que en efecto andarían en boca de todos en aquellos tiempos y en aquellas ciudades fronterizas" (1940a: xxxvi). Desgraciadamente, la mayor parte de sus apuntes sobre el tema no se publicaron, y tenemos tan sólo sus comentarios sobre dos romances perdidos, uno de los cuales trata de "la decadencia de la ciudad de Jaén y de su caballería antes de la llegada de Miguel Lucas". Pasa a citar un pasaje muy significativo:

> No porque en aquella cibdad de Jahén no ovo sienpre muchos buenos cavalleros e escuderos, e onbres sabidores de guerra; tanto que en los romances e refranes antiguos sienpre la llamaron "Jahén, Jahén, la guerrera". (1940a: 66)

Sigue: "Y hasta se le escapan en su prosa cadencias de romance: 'Domingo por la mañana / diez e seis días de enero'" (1940a: xxxvi; el texto está en 1940a: 105). Las palabras de los mismos *Hechos* parecen garantizar la existencia de más de un romance sobre Jaén, aun si no se aceptan que los dos versos reconstruidos son auténticamente versos de romance.

B22 *El juglar Paja*

Ramón Menéndez Pidal apuntó hace más de setenta años que "La *Cuarta Crónica General*, escrita hacia 1460, es el primer texto donde hallamos cierta anécdota referente a un juglar del rey Fernando el Santo, cuando éste conquistó a Sevilla en el año 1248" (1923: 363). La anécdota de "un juglar a que dezían Paja" es extensa, ocupando 55 líneas impresas (1923: 364-66). Menéndez Pidal pasa a rastrearla a través de la historiografía medieval posterior (366-69), y comenta que "[la *Crónica de España* de Diego de] Valera y la *Cuarta Crónica* son, en este pasaje al menos, independientes el uno del otro, pues ambos se completan mutuamente en partes que respectivamente les faltan" (368). Comenta con razón que la anécdota "tiene todas las trazas de fabuloso" (369), y dice a continuación que:

> parece inventada por un juglar sevillano que quiere ensalzar el gremio de los juglares como capaz de dar un necesario consejo al conquistador de Andalucía. [...] El cuento del juglar Paja podría estar originariamente referido en prosa. Hay en la *Cuarta Crónica* detalles que parecen más propios de un relato en prosa que no en verso [...]. Pero esto pudiera ser propio de un cronista prosificador. En cambio, la abundancia de diálogo en la

anécdota aboga por una redacción en verso [...]. Otros rasgos muy peculiares del estilo de los romances juglarescos hallo en esos diálogos [...] (370-71)

Cita varias analogías en romances existentes, y concluye que "Es, pues, lo más probable que el cuento del consejo de Paja fue un romance juglaresco, compuesto por un sevillano a honor de los juglares" (371). Nos recuerda que la *Cuarta crónica general* incluye el texto entero del romance "Yo salí de mi tierra" (Menéndez Pelayo 1944-45: VIII, núm. 62), que se refiere a Alfonso X (y podría haber añadido que la misma crónica utiliza romances de la guerra Trastámara: véase Entwistle 1930).

Volviendo al asunto treinta años después, Menéndez Pidal (1953: I, 313-14) cree seguro lo que antes fue sólo una probabilidad:

> podemos decir que el *Consejo del juglar Paja* formaba un romance bastante largo y de estilo plenamente narrativo, estilo juglaresco, no épico-lírico. Es el primer "romance juglaresco" que podemos citar, caracterizado por su sencilla unidad de acción como la mayoría de los del siglo XVI. Su autor es, sin duda, un juglar de Sevilla [...] (314)

Otro cambio importante es que Menéndez Pidal ahora ve en la *Traducción ampliada del Toledano* (hecha entre 1245 y 1289) la primera versión cronística de *El juglar Paja* (1953: I, 313n), versión que le había parecido antes de poco valor porque creía que se trataba tan sólo de un extracto de la primera mitad del siglo XVII.

El nombre parece habitual entre juglares. Rafael Floranes, en sus apuntes sobre el primer tomo de la *Colección de poesías castellanas anteriores al siglo* XV, de Tomás Antonio Sánchez, comenta la presencia en la corte de Alfonso VII, en 1145, de "un juglar, o Poeta, llamado *Palea*", y a continuación se refiere al Paja del reinado de Fernando III, observando que "vengo a entender que en aquellos siglos era común llamar

Paleas o *Pajas* a todos los *Mímicos* o *Graciosos* que con sus ficciones y dichos salados y festivos servían al entretenimiento de los Palacios" (Menéndez y Pelayo 1908: 382; para el Palla de mediados del siglo XII, véase también Pimpão 1959: 80). La coincidencia es comentada de nuevo por Menéndez Pidal (1957: 104 y 144-45).

B23 "Mi compadre Gómez Arias"

Una obra portuguesa del siglo XVI, la *Memória de ditos e sentenças de reis*, en una anécdota sobre João de Meneses (poeta del *Cancioneiro geral*, muerto en 1514), dice que:

> o cavalleiro começou a cantar este romance:
> Mi compadre Gómez Arias que mal consejo me dio
> e indo proseguindo, chegou a hum passo d'elle que diz:
> nunca viera xaboneros tan bien vender su xabón
> porque acertou de ser a tempo que se viam ja muito bem os mouros que o esperavam, proseguio o capitão as duas regras seguintes do romance dizendo:
> A ellos, compadre, a ellos, que ellos xaboneros son
> e dando após estas palavras *Santiago!* nos inimigos, houve d'elles uma tão famosa vitória [...] (Catalán 1969b: 58-59)

Las dos últimas citas vienen cantadas por un soldado español en la *Comédia dos Vilhalpandos* (entre 1536 y 1549), de Francisco de Sá de Miranda, pero no la primera. Ésta, sin embargo, se encuentra en la tercera parte de las *Elegías de varones ilustres de Indias*, compuesta en 1588 por Juan de Castellanos. Hablando de un rebelde mexicano de 1533, Castellanos dice:

> Era de Güelva, pueblo del Condado,
> según oímos a personas varias,
> nieto del comunero condenado
> que dijo "Mi compadre Gómez Arias",
> que por ser un romance muy trillado
> las razones se dan aquí sumarias,
> pero quien del suceso más desea

lo restante de aquel romance vea.
(Catalán 1969b: 60)

Todos estos datos provienen del estudio magistral de Diego Catalán, el cual demuestra que el asunto del romance fue la traición contra el rey Pedro de don Juan de la Cerda, señor de Gibraleón, en 1357. Parece que don Juan, animado por su vasallo Gómez Arias, alcaide mayor de Sevilla, salió de Huelva para atacar a Sevilla, pero fue derrotado por los sevillanos (motejados de "xaboneros") en la batalla del río Candón. Catalán se apoya en varios textos historiográficos para aclarar el fondo del romance perdido, y concluye de manera convincente que:

> en aquel mismo año de 1357, a raíz de los acontecimientos, un poeta fiel al rey don Pedro compuso el romance para que, llevado en alas de la música, hiciese llegar a todos los rincones de Castilla la noticia y los detalles de la victoria conseguida por los realistas en Andalucía. (1969b: 80)

Pasa a esbozar la estructura probable del romance (81). Se trata, pues, de uno de los poquísimos restos de los romances compuestos por los partidarios del rey legítimo (véase la p. 161, supra). Es probable que otra versión se cite en "En Ávila por la A" (B36, infra)[5].

B24 "Moricos de Colomera con los moros de Granada"

Citado en *Aquí comiença un romance* (véase B1, supra). Piacentini (1984: 1148, núm. 62) dice: "Romance evidentemente Histórico-Fronterizo", y parece imposible precisar más. Nótese la semejanza con el comienzo de un romance existente: "Cavalleros

[5] Parece que "Mi compadre Gómez Arias" se relaciona con la perdida canción "La niña de Gómez Arias" (ROZZELL 1952; AVALLE-ARCE 1974a) sólo por un personaje que tienen en común (según la sugerencia de AVALLE-ARCE 1974a: 91), y no por la tradición textual.

de Moclín, peones de Colomera" (Piacentini 1981: núm. 24).

B25 "La muger de Arnaldos quando en missa entró"

Citado ibid. Piacentini (1984: 1149, núm. 71). Hay 18 textos, bastante variados, recogidos de la tradición oral sefardí, y algunos de la tradición moderna peninsular (Armistead et al. 1978: II, 14-18, tipo L3). Véase también Menéndez Pidal (1953: I, 132; 1960b: xvii-xviii). La popularidad del romance en la tradición oral del siglo XX nos indica claramente lo que fue el contenido del texto citado.

B26 "Por aquellas altas sierras Rodrigo va sospirando"

Citado en *Relación verdadera de la santa Unión* (véase B3, supra). Piacentini (1984: 1160, núm. 128) lo relaciona, casi seguramente con razón, con los romances del último rey godo.

B27 "Por el cerco de Samora andavan los castellanos"

Citado ibid. Piacentini (1984: 1160, núm. 129) lo relaciona, obviamente con razón, con los romances derivados del *Cantar de Sancho II* (cpse B10, supra).

B28 "Que aunque duermen en Çamora R[odri]go estava belando"

Citado en las *Coplas que se hallaron puestas en las puertas del palacio de Lisboa primero de hebrero de 1580* (Cartapacio de Francisco Morán de la Estrella, formado en Toro, h. 1585). También derivado del *Cantar de Sancho II*, como dice Piacentini (1984: 1151, núm. 85).

B29 "¿Qué me distes, Moriana, qué me distes en el vino?"

Citado en *Aquí comiença un romance* (véase B1, supra). "Los versos como aquí se dan no aparecen en ninguna de las versiones [de 'Vengo brindado Moriana'] —todas de la tradición oral moderna— que del romance se conocen" (Piacentini 1984: 1146, núm. 54). Otros versos aparecen en un contexto paródico, hablados por el gracioso, en la comedia *La morica garrida* de Juan Bautista de Villegas, compuesta hacia 1620-30:

Moriana, Moriana, ¿qué me diste en este vino?
que por las riendas le tengo ¡y no veo al mi rocino!
Moriana, en el cercado, ¿qué me diste en este trago?
que por las riendas le tengo ¡y no veo al mi caballo!

El romance de *Moriana* (o *Mariana*) es el representante hispánico de un conocido tipo internacional (véase Entwistle 1951: 80-81), y corresponde al *Lord Randal* inglés.

Las versiones existentes provienen todas —como dice Piacentini— de la tradición oral de fines del siglo XIX y del XX (Menéndez Pelayo 1944-45: VII, 391-93; IX, 224-26; Di Stefano 1993: núm. 157). En la cita se trata, pues, de una versión perdida de este romance, es decir, del único resto del romance que se cantaba en los siglos XV-XVI. Según Ramón Menéndez Pidal, su exclusión de los pliegos sueltos se debió a su poliasonancia (1953: I, 133-34; II, 411-12; 1960: xvii), poliasonancia que se ve en los versos paralelísticos de *La morica garrida*.

B30 "¡Qué moros mató en la guerra el postrer godo de España!"

Citado en *Obra nueva llamada la vida del estudiante pobre* (véase B5, supra). Piacentini (1984: 1153, núm. 97) se pregunta si está relacionado con los romances del rey Rodrigo; me parece que sus dudas son innecesarias.

B31 "Quien casa por amores"

El núm. 12983 del *Abecedarium* de Fernando Colón, un pliego suelto hoy perdido de la Biblioteca Colombina, es una glosa de Martín de la Membrilla sobre "Quien casa por amores" (Rodríguez-Moñino 1970: núm. 351; 1976: núm. 188). Se conserva de la glosa tan sólo el comienzo: "¡O vós, penados amantes, / que en penas de amor penáis!" El romance sefardí, "Vos labraré un pendón", que incluye las palabras citadas u otras muy parecidas, fue muy difundido: el Archivo Menéndez Pidal tiene 26 textos (tipo X3) recogidos en Bosnia, Salónica, Rodas, Esmirna, Damasco, Beirut y Marruecos (Armistead et al. 1978: II, 264-69). Cinco de los textos empiezan con "Quien se casa con amores", etc., y muchos otros introducen el tema con las palabras "Siempre lo oí yo decir en ca de mi padre señor". Existe también una versión oral portuguesa (Menéndez Pidal 1953: II, 180).

Menéndez Pidal descubrió que este romance sirve de argumento a dos comedias del siglo XVII, *El príncipe viñador* (publicada en 1668), de Luis Vélez de Guevara, y *Mientras yo podo las viñas*, compuesta oralmente en 1610 por Agustín de Castellanos, un sastre analfabeto de Toledo, y que una tercera comedia, la *Famosa comedia de la Zarzuela y elección del Maestre de Santiago*, compuesta en 1601 por Reyes Mejía de la Cerda (1953: II, 178-79; también Armistead & Silverman 1971: 296-97 y 301-02; Armistead et al. 1978: II, 264). Menéndez Pidal combina los versos de las tres comedias con los de romances sefardíes para reconstruir el romance original (II, 179-80), procedimiento bastante arriesgado. Otra fuente de información para este romance la constituyen los *incipits* de *piyutim* (himnarios) sefardíes a partir de

1555 (Armistead & Silverman 1971: 392; Armistead 1977: 454-55; Armistead et al. 1978: II, 264; Frenk et al. 1987: 339).

La cuestión se complica con la inclusión de "Quien casa por amores / sienpre vive con dolores" como fragmento lírico por Margit Frenk (Frenk et al. 1987: núms. 737A y 737B). Frenk cita como fuentes el *Vocabulario de refranes y frases proverbiales* de Gonzalo Correas; una desfecha, núm. 46 del *Cancionero de Herberay des Essarts* ("Refrán es entre las gentes / que quien casa con amores / esse bive con dolores"); y la *Comédia Eufrosina* de Jorge Ferreira de Vasconcelos ("Quem casa por amores / sempre vive em dolores"), además de varias de las fuentes ya referidas. La explicación más probable es que las primeras palabras del romance se convirtieran en un refrán rimado, pero no se puede excluir la posibilidad de que un refrán lírico haya sido el germen del romance.

B32 *Setenil*

Es el segundo romance que, según Juan de Mata Carriazo, se incluye en la prosa del *Victorial* (véase B19, supra). En este caso, dice (1940b: xxxvi) que se trata de un romance parafraseado:

> quando salía el sol heran el condestable e los que con él heran a Setenil. E fallaron moros, cavalleros e peones, fuera de la villa, los quales fueron luego encerrados por fuerça. E el condestable fabló arávigo, e llamó al Cordí, que hera alcayde de la villa. E fabló al condestable, e díxole qué quería a Setenil. [...] (Beltrán Llavador 1994: 473-74 = Carriazo 1940b: 295-96)

Comenta Carriazo: "en él puede advertirse su relación con [... el] diálogo del rey don Juan ante Granada" (1940b: xxxvi), o sea, *Abenámar*. No es nada seguro que *El Victorial* parafrasee aquí un romance, pero la hipótesis no es inverosímil. Vale la pena recordar el romance "Por este buen rey don Juan que el segundo se decía" (Durán 1849-51: núm. 1053):

> muy grande es la vocería.
> De Setenil el castillo quince moros les salían;
> tómanles la delantera, cerco a cristianos ponían [...]
> del campo huyen los moros, los cristianos los seguían,
> en Setenil los metieron, a ciento quitan la vida.

Para esta sección del *Victorial*, véase Beltrán Llavador 1990.

B33 "Sin que lo fuese Guiferos ni su primo Montesinos"

Citado en las *Trovas feitas aos genoeses* (véase B9, supra). Piacentini (1984: 1156, núm. 110) dice sólo "Ciclo Carolingio", pero cpse B20, supra.

B34 "Tres hijuelos había el rey"

Antonio de Nebrija cita este conocido romance artúrico dos veces en su *Gramática de la lengua castellana*, al tratar de las consonantes:

> "Digas tú el ermitaño, que hazes la vida santa:
> aquel ciervo del pie blanco ¿dónde haze su morada?"
> "Por aquí passó esta noche, un ora antes del alva."
> (II.6; Quilis 1980: 148)

y de los versos yámbicos:

> Digas tú el ermitaño, que hazes la santa vida,
> aquel ciervo del pie blanco ¿dónde haze su manida?
> (ii.8; 154)

Nebrija introduce las dos citas con las palabras "como en aquel/este romance antiguo". William J. Entwistle, al comentarlo, se fija en las palabras introductorias:

> The ballad *Tres hijuelos* was certified to be old (*viejo*) in its actual form by Antonio de Nebrija's *Grammatica*

> (1492), which carries us back at least towards the earlier years of the fifteenth century: but as the present form is one of comparative obscurity, confusion and redaction, we should almost certainly date back the original poem to the fourteenth century, when it derived from the prose *Lancelot*. (1923: 447)

No importa mucho que Entwistle se equivoque sobre el adjetivo empleado por Nebrija, pero sí importa que haya pasado por alto la diferencia en las dos citas, algo comentado por Menéndez Pidal:

> Vemos así que Nebrija conocía dos redacciones del romance, teniéndolas por igualmente antiguas. Son dos redacciones, pues el citar tres versos nos impide pensar que se tratase de una sola forma del romance no monorrima sino en pareados, donde a trechos ocurriese alguna repetición paralelística. (1953: I, 143; cpse II, 48)

La segunda cita corresponde al romance existente, romance muy difundido en el siglo XVI (véase Díaz-Mas 1994: 252n), pero la primera no: proviene de una versión con asonancia *á-a* en el pasaje citado, versión hoy perdida[6].

B35 *La vega de Granada*

Al final del capítulo 8 de los *Hechos del Condestable don Miguel Lucas de Iranzo*, que narra la entrada del Condestable en la vega de Granada, el autor dice:

> E al fin, pensando anpararse de tantos trabajos, delibraron de tomar por su rey al ynfante Ysmael, que a la sazón, por mandado del rey nuestro señor, era venido de su corte, do grand tienpo con su alteza avía andado, y estava a la parte de Málaga, e Ronda, e Setenil. E por tan grande fue avido este fecho, quel rey nuestro señor, por que

[6] Vale la pena observar que la versión existente es poliasonantada, lo que indica gran antigüedad (cpse el comentario de MENÉNDEZ PIDAL en B29, supra). El romance sefardí "Tres hijas tiene el rey" (tipo P2) no tiene que ver con "Tres hijuelos".

> mayor memoria quedase, le mandó facer un romance, el qual a los cantores de su capilla mandó asonar, que dice en esta manera (Carriazo 1940a: 90)

Carriazo comenta que "el resto del folio [59, de Madrid, BN, 2092], apenas empezado, queda en blanco, y faltan de antiguo los cuatro siguientes. No parece que con ellos haya perdido otra cosa que el romance y su música [...]" (1940a: xxxvi). No es totalmente seguro que se hubiera incluido la música, pero el hecho de que la mayor parte del folio quede en blanco hace suponer que se había dejado un espacio para el trabajo de un copista especializado en la notación musical[7]. Hay que lamentar con Carriazo la "pérdida irremediable" (xxxvi) de este romance histórico con su música. Conocemos tan sólo el asunto y la fecha del romance: 1462.

B36 "Xaboneros de Sevilla"

> "Xaboneros de Sevilla"
> entrará cantando Torre.
> (Aubrun 1951: 195)

Los versos (Dutton ID 2319) son los 414-15 de "En Ávila por la A" (véase B4, supra). Charles V. Aubrun, que refiere a "une chanson populaire", indica que el poeta aludido puede ser Fernando de la Torre (1951: xxxv-xxxvi). Diego Catalán comenta: "Creo muy probable que la canción puesta en boca de Torre sea nuestro romance ["Mi compadre Gómez Arias", B23, supra], a pesar de que el octosílabo citado no coincida con su comienzo más divulgado" (1969b: 62). Se trataría, pues, de otra versión de B23, con comienzo distinto (hipótesis aceptada por Jane Whetnall 1986: 204).

7 Recuérdese que cuando se incluye una canción con su música al final del cap. 31 (Carriazo 1940a: 328-29), se hace "en dos hojas con filigrana diferente, añadidas después de la foliación antigua" (328n), y que el fol. 234, que precede a dichas hojas, tiene sólo unas pocas líneas de escritura, quedándose en blanco el resto del recto y todo el verso, situación muy parecida a la del fol. 59.

B37 "Xerez, aquesta nombrada cercada está de christianos"

Citado en *Nueva guerra en muy graciosos desparates* (véase B18, supra). Piacentini (1984: 1159, núm. 121) dice, de nuevo con cautela innecesaria, "¿Tema Histórico-Fronterizo?"

B38 "Ya cavalga el rey don Johan"

Es otra cita de "En Ávila por la A" (véase B4, supra):

La señora a todo ultrance
y las suyas cantarán
por canción este romance:
"Ya cavalga el rey don Johan."
(Aubrun 1951: 195, vv. 434-37)

Como nota Aubrun (248), el verso (Dutton ID 2320) recuerda los comienzos de romances existentes: menciona "Ya cabalga Calaínos" (Menéndez Pelayo 1944-45: VIII, núm. 193). Whetnall (1986: 204), agregando la analogía con "Ya cabalga Diego Ordóñez" (VIII, núm. 47), comenta que el romance citado "may be a fairly recent and topical composition". Tal vez valga la pena pensar también en un pliego suelto (s.a.) de tres romances, de los cuales el último es "el que dice 'Abenámar, Abenámar, moro de la morería'", pero que empieza "Passeavas'el rey don Juan por Guadalqui[vir] arriba" (Rodríguez-Moñino 1970: núm. 736; Piacentini 1981: núm. 122). ¿Es posible que el verso citado pertenezca a otra variante de "Abenámar", versión que adopta la fórmula romancística de "Ya cavalga", de la misma manera que la versión del pliego suelto adopta la fórmula "por Guadalquivir arriba" de un romance del Cid (Menéndez Pelayo 1944-45: VIII, núm. 78)?

B39 "Ya se sale Melisendra de los baños de bañar"

Citado en *Aquí comiença un romance* (véase B1, supra; Piacentini 1984: 1149, núm. 72). Ramón

Menéndez Pidal comenta (1948) una curiosa versión de este romance. A mediados del siglo XVII, Sabbatai Ceví se proclamó el Mesías e hizo proselitismo desde Salónica hasta El Cairo, pasando por Constantinopla, Esmirna y Jerusalén; "solía alternar con el canto de los salmos las canciones profanas españolas vueltas a lo divino" (1948: 185). El pastor protestante holandés Thomas Coenen recuerda haberle oído cantar en Esmirna, en 1667, versos que ahora se conocen sólo en la traducción holandesa de Coenen; retraducidos al castellano por Menéndez Pidal, son:

Subiendo a un monte,
bajando por un valle,
me encontré a Meliselda
la hija del emperador,
que venía del baño
de lavar sus cabellos.
Su rostro era resplandeciente
como una espada,
sus pestañas como un arco de acero,
sus labios commo corales,
su carne como leche.

Menéndez Pidal dice (1948: 185-86) que tiene recogidas diez versiones sefardíes, principalmente de Salónica (hay nueve en el Archivo Menéndez Pidal, tipo B18: Armistead et al. 1978: I, 131-33), y cita una:

A la baxada de un río   y a la subida de un valle,
encontré con Meliselda,   la hija del emperante,
que venía de los baños,   de los baños de lavarse;
de lavarse y entrenzarse   y mudarse una delgada;
así traía su cuerpo   como la leche y la sangre,
la su frente reluciente   parece espejo de mirarse,
la su cejica enarcada   parece arco de tirare,
los sus muxos corelados   parecen unos corales.

Concluye que ya en el siglo XVII el romancero sefardí se había tomado sus rasgos distintivos, y que el romance carolingio cantado por Sabbatai Ceví, obviamente relacionado con las versiones sefardíes modernas, es una transformación del romance citado un siglo antes en la ensalada. La reseña de María Rosa Lida de Malkiel (1949) pone reparos a unos pormenores de la argumentación de Menéndez Pidal, pero acepta —¿cómo no?— su hipótesis. Otra muestra de la tradición sefardí de este romance la proporcionan unos *piyutim* de 1704 y 1753 (Armistead et al. 1978: I, 132).

BIBLIOGRAFÍA

ABREVIATURAS

Actas I AHLM	*Actas del I Congreso da la Asociación Hispánica de Literatura Medieval, Santiago de Compostela, 2 al 6 de diciembre de 1985*, ed. Vicente Beltrán (Barcelona: PPU, 1988)
Actas II AHLM	*Actas, II Congreso Internacional de la Asociación Hispánica de Literatura Medieval (Segovia, del 5 al [9] de octubre de 1987)*, ed. José Manuel Lucía Megías et al. (Alcalá de Henares: Univ., 1992).
AFE	*El Crotalón: Anuario de Filología Hispánica*
AL	*Anuario de Letras*
Age	*The Age of the Catholic Monarchs 1474-1516: Literary Studies in Memory of Keith Whinnom* (Liverpool: UP, 1989)
BAE	Biblioteca de Autores Españoles
BC	Biblioteca Clásica
BEsXV	Biblioteca Española del Siglo XV
BFPLUL	Bibliothèque de la Faculté de Philosophie et Lettres de l'Université de Liège
BH	*Bulletin Hispanique*
BHS	*Bulletin of Hispanic Studies*
BN	Biblioteca Nacional, Bibliothèque Nationale, etc.
BRABLB	*Boletín de la Real Academia de Buenas Letras de Barcelona*
BRAE	*Boletín de la Real Academia Española*
C	*La Corónica*
CCE	Colección de Crónicas Españolas, ed. Juan de Mata Carriazo (Madrid: Espasa-Calpe)
Charlemagne	*Charlemagne et l'épopée romane: Actes du VIIe Congrès International de la Société Rencesvals, Liège, 28 août-4 septembre 1976*, BFPLUL, 225 (Paris: Les Belles Lettres, 1978)
CLHM	*Cahiers de Linguistique Hispanique Médiévale*
CN	*Cultura Neolatina*
CNRS	Centre National de la Recherche Scientifique
CSIC	Consejo Superior de Investigaciones Científicas
CSMP	Cátedra-Seminario Menéndez Pidal
DA	*Dissertation Abstracts*

DAI	*Dissertation Abstracts International, A: Humanities*
EHT	Exeter Hispanic Texts
FCE	Fondo de Cultura Económica
FER	Fuentes para el Estudio del Romancero
FMLS	*Forum for Modern Language Studies*
HCLH	Historia Crítica de la Literatura Hispánica
Homenaje Galmés	*Homenaje a Álvaro Galmés de Fuentes*, 3 tomos (Oviedo: Univ.; Madrid: Gredos, 1985-87)
HR	*Hispanic Review*
HS	*Hispania Sacra*
HSA	Hispanic Society of America
HSMS	Hispanic Seminary of Medieval Studies
IHE	Instituto de Historia de España
JHP	*Journal of Hispanic Philology*
JHR	*Journal of Hispanic Research*
KRQ	*Kentucky Romance Quarterly*
Medieval Alexander	*The Medieval Alexander Legend and Romance Epic: Essays in Honour of David J.A. Ross* (Millwood, NY: Kraus International, 1982)
MAe	*Medium Aevum*
MHRA	Modern Humanities Research Association
MLN	*Modern Language Notes*
MLR	*Modern Language Review*
NRFH	*Nueva Revista de Filología Hispánica*
PQ	*Philological Quarterly*
R	*Romania*
RAE	Real Academia Española
RAH	Real Academia de la Historia
RBC	Research Bibliographies and Checklists
RelEH	Reliquias de la Épica Hispánica
RFE	*Revista de Filología Española*
RH	*Revue Hispanique*
RLit	*Revista de Literatura*
RPh	*Romance Philology*
Saints and their Authors	*Saints and their Authors: Studies in Medieval Hispanic Hagiography in Honor of John K. Walsh* (Madison: HSMS, 1990)
SMP	Seminario Menéndez Pidal
SSMLL	Society for the Study of Mediaeval Languages and Literature
Studia Alonso	*Studia philologica: homenaje ofrecido a Dámaso Alonso por sus amigos y discípulos con ocasión de su 60º aniversario*, 3 tomos (Madrid: Gredos, 1960-63)

Studia Riquer	*Studia in honorem prof. M. de Riquer*, 4 tomos (Barcelona: Quaderns Crema, 1986-91)
TM	Textos Medievales
UCPMP	University of California Publications in Modern Philology
UNCSRLL	University of North Carolina Studies in the Romance Languages and Literatures
UP	University Press

BIBLIOGRAFÍA

ABADAL I DE VINYALS, Ramon D', 1955. "El comte Bernat de Ribagorça i la llegenda de Bernardo del Carpio", en *Estudios dedicados a Menéndez Pidal*, III (Madrid: CSIC), pp. 464-87.

ACUTIS, Cesare, 1978. *La leggenda degli Infanti di Lara: due forme epiche nel Medioevo occidentale* (Torino: Giulio Einaudi).

—, 1985. *La leggenda della Contessa traditrice* (Torino: Rosa).

AGUIRRE, J.M., 1968. "Épica oral y épica castellana: tradición creadora y tradición repetitiva", *Romanische Forschungen*, 80: 13-43.

ALLEN, John Robin, 1969. "The Genealogy and Structure of a Medieval Heroic Legend: *Mainet* in French, Spanish, Italian, German and Scandinavian Literature", tesis doctoral (Univ. of Michigan). *DAI*, 30 (1969-70): 2010.

ALONSO, Dámaso, 1953. "La primitiva épica francesa a la luz de una nota emilianense", *RFE*, 37: 1-94.

ALVAR, Carlos, 1977. *La poesía trovadoresca en España y Portugal*, Planeta Universidad, 11 (Barcelona: Planeta & Real Academia de Buenas Letras de Barcelona).

—, 1988. "Épica", en Alvar & Ángel Gómez Moreno, *La poesía épica y de clerecía medievales*, HCLH, 2 (Madrid: Taurus), pp. 13-70 & 169-75.

—, & Manuel ALVAR, ed., 1991. *Épica medieval española*, LH, 330 (Madrid: Cátedra). (Revisión de la entrada siguiente.)

ALVAR, Manuel, ed., 1969. *Cantares de gesta medievales*, Sepan cuantos..., 122 (México: Porrúa).

ALVAR EZQUERRA, Antonio, 1980. "De Heródoto a la leyenda de la campana de Huesca", *BH*, 82: 5-15.

AMADOR DE LOS RÍOS, José, ed., 1852. *Obras de don Íñigo López de Mendoza, Marqués de Santillana* (Madrid: el editor).

—, 1861-65. *Historia crítica de la literatura española*, 7 tomos (Madrid: el autor).

—, 1875. *Historia social, política y religiosa de los judíos de España y Portugal* (Madrid: el autor).

ANASTÁCIO, Vanda, 1992. "A *condessa traidora*", en *Estudios de folklore y literatura dedicados a Mercedes Díaz Roig* (México: Colegio de México), pp. 209-31.

ANTOLÍN, Guillermo, 1923. *Catálogo de los códices latinos de la Real Biblioteca de el Escorial*, V (Madrid: Monasterio de El Escorial).

ARIZALETA, Amaia, 1994. "La Translation d' Alexandre: recherches sur les structures et les significations du *Libro de Alexandre*", tesis doctoral (Univ. de Paris III-Sorbonne Nouvelle).

ARMISTEAD, Samuel G., 1955. "*La gesta de las mocedades de Rodrigo*: Reflections of a Lost Epic Poem in the *Crónica de los reyes de Castilla* and the *Crónica general de 1344*", tesis doctoral (Princeton Univ., 1955). *DA*, 15 (1955), 2198-99.

—, 1957-58. "'The Enamored doña Urraca' in Chronicles and Balladry", *RPh*, 11: 26-29.

—, 1963. *A Lost Version of the "Cantar de gesta de las mocedades de Rodrigo" in the Second Redaction of Rodríguez de Almela's "Compendio historial"*, UCPMP, 38.4 (Berkeley: Univ. of California Press).

—, 1973. "Las *Mocedades de Rodrigo* según Lope García de Salazar", *R*, 94: 303-20.

—, 1974. "The Earliest Historiographic References to the *Mocedades de Rodrigo*", en *Estudios literarios de hispanistas norteamericanos dedicados a Helmut Hatzfeld con motivo de su 80 aniversario* (Barcelona: Hispam), pp. 25-34.

—, 1977. Reseña de Rodríguez-Moñino 1976, *HR*, 45: 451-55.

—, 1978. "The *Mocedades de Rodrigo* and Neo-Individualist Theory", *HR*, 46: 313-27.

—, 1983. "Epic and Ballad: A Traditionalist Perspective", *Olifant*, 8 (1980-81 [1983]): 376-88.

—, 1983-84. "The Initial Verses of the *Cantar de Mio Cid*", C, 12: 178-86.

—, 1986-87a. "'Encore les cantilènes!': Prof. Roger Wright's *Proto-romances*", C, 15: 52-66.

—, 1986-87b. "From Epic to Chronicle: An Individualist Appraisal", *RPh*, 40: 338-59.

—, 1988. "Dos tradiciones épicas sobre el nacimiento del Cid", *NRFH*, 36: 219-48.

—, 1990. "Modern Ballads and Medieval Epics: *Gaiferos y Melisenda*", C, 18.2 (primavera): 39-49.

—, 1992. "A New Book on *Ensaladas*", C, 20.2 (primavera): 50-59.

—, 1994. "Los siglos del romancero: tradición y creación", en Díaz-Mas 1994: ix-xxi.

—, con Selma MARGARETTEN, Paloma MONTERO & Ana VALENCIANO, 1978. *El romancero judeo-español en el Archivo Menéndez Pidal: catálogo-índice de romances y canciones*, FER: Serie Sefardí, 1-3 (Madrid: CSMP).

—, & Joseph H. SILVERMAN, 1964. "Sobre unos versos de las *Mocedades de Rodrigo* conservados tradicionalmente en Marruecos", *AL*, 4: 95-107. Revisado en su *En torno al romancero serfardí: hispanismo y balcanismo de la tradición judeo-española*, FER, Serie Sefardí, 7 (Madrid: SMP), pp. 23-34.

—, 1970. "Para un gran romancero sefardí", en *Actas del primer Simposio de Estudios Sefardíes*, ed. Iacob M. Hassán et al. (Madrid: CSIC), pp. 281-94.

—, ed., 1971. *The Judeo-Spanish Chapbooks of Yacob Abraham Yoná*, Folk Literature of the Sephardic Jews, 1 (Berkeley: Univ. of California Press).

—, 1976. "El romance de *Celinos:* un testimonio del siglo XVI", *NRFH*, 25: 86-92. Revisado en *En torno al romancero sefardí*, pp. 35-42.

—, 1989. "*Gaiferos* y *Waltharius*: paralelismos adicionales", en *Homenaje al profesor Antonio Vilanova* (Barcelona: Univ.), I, pp. 31-43.

AUBRUN, Charles V., ed., 1951. *Le Chansonnier espagnol d'Herberay des Essarts (XVe siècle)*, Bibliothèque de l'École des Hautes Études Hispaniques, 25 (Bordeaux: Féret).

AVALLE-ARCE, Juan Bautista, 1974a. "El cantar de *La niña de Gómez Arias*", en sus *Temas hispánicos medievales* (Madrid: Gredos), pp. 83-92. Primera versión en *BHS*, 44 (1967), 43-48.

—, 1974b. "El *Poema de Fernán González*: clerecía y juglaría", ibid., pp. 64-82. Primera publicación en *PQ*, 51 (1972): 60-73.

—, 1974c. "Sobre fray Hernando de Talavera", ibid., pp. 262-79. Primera versión en *RPh*, 19 (1965-66): 284-91.

BABBITT, Theodore, 1936. *"La crónica de veinte reyes": A Comparison with the Text of the "Primera crónica general" and a Study of the Principal Latin Sources*, Yale Romanic Studies, 13 (New Haven: Yale UP).

BARDON, Henry, 1952-56. *La Littérature latine inconnue*, 2 tomos (Paris: Klincksieck).

BEATIE, Bruce A., 1964. "Oral-Traditional Composition in the Spanish *Romancero* of the Sixteenth Century", *Journal of the Folklore Institute*, 1: 92-113.

BELTRÁN LLAVADOR, Rafael, 1986. "Un estudio sobre la biografía medieval castellana: la realidad histórica de Pero Niño y la creación literaria de *El Victorial*", tesis doctoral inédita (Univ. de Valencia).

—, 1989. "El 'Cuento de los Reyes' Enrique II y Pedro I: una historia-*exemplum* sobre la caída de los linajes", *BRAE*, 69: 417-57.

—, 1990. "Convergencias y divergencias en la narrativa cronística de la guerra de Granada: la campaña de Setenil (1407)", *Boletín de la Biblioteca Menéndez Pelayo*, 66: 5-45.

—, ed., 1994. Gutierre Díaz de Games, *El Victorial*, Clásicos Taurus, 25 (Madrid: Taurus).

BÉNICHOU, Paul, 1968. *Creación poética en el romancero tradicional* (Madrid: Gredos).

BOWRA, C.M., 1945. *From Virgil to Milton* (London: Macmillan).

—, 1952. *Heroic Poetry* (London: Macmillan).

BREVEDÁN, Graciela, 1976. "Estudio estructural del *Poema de Fernán González*", tesis doctoral (Univ. of Kentucky). *DAI*, 38 (1977-78): 821.

BUCHAN, David, 1972. *The Ballad and the Folk* (London: Routledge & Kegan Paul).

BURKE, James F., 1991. *Structures from the Trivium in the "Cantar de Mio Cid"* (Toronto: UP).

BURSHATIN, Israel, 1990. "Narratives of Reconquest: Rodrigo, Pelayo, and the Saints", en *Saints and their Authors*, pp. 13-26.

CABANES PECOURT, María Desamparados, ed., 1968. Rodericus Ximenius de Rada, *Opera*, TM, 22 (Valencia: Anubar).

CANELLAS LÓPEZ, Ángel, ed., 1967. Jerónimo Zurita, *Anales de la Corona de Aragón*, I (Zaragoza: Institución Fernando el Católico, CSIC).

CAPDEBOSCQ, Anne-Marie, 1984. "La Trame juridique de la légende des Infants de Lara: incidents des noces et de Barbadillo", *CLHM*, 9: 189-205.

—, 1989. "Mudarra, héros naturel ou culturel?: étude comparative de la *Crónica geral de 1344* et de la *Primera crónica general*", *Cahiers d'Études Romanes*, 14: 7-22.

CARMODY, Francis J., 1934. *Franco-Italian Sources of the "Roncesvalles"* (New York: Institute of French Studies, Columbia Univ.).

CARR, Derek C., & Pedro M. CÁTEDRA GARCÍA, en prensa. *Don Enrique de Villena (¿1384?-1434): una bibliografía crítica*, RBC (London: Grant & Cutler).

CARRIAZO, Juan de Mata, ed., 1940a. *"El Victorial", crónica de don Pero Niño, conde de Buelna, por su alférez Gutierre Díez de Games*, CCE, 1.

—, ed., 1940b. *Hechos del Condestable don Miguel Lucas de Iranzo: crónica del siglo* XV, CCE, 3.

CASLEY, David, 1734. *A Catalogue of the Manuscripts of the King's Library; an Appendix to the Catalogue of the Cottonian Library* (London: el autor).

CASO GONZÁLEZ, José Miguel, 1965. "*La muerte del rey don Sancho* de Juan de la Cueva y sus fuentes tradicionales", *Archivum*, 15: 126-41.

—, 1981. "La *Primera crónica general* y sus fuentes épicas", en *Actas de las III Jornadas de Estudios Berceanos*, ed. Claudio García Turza, Colección Centro de Estudios Gonzalo de Berceo, 6 (Logroño: Instituto de Estudios Riojanos), pp. 33-56.

—, 1986. "La fuente del episodio de Covadonga en la *Crónica rotense*", en *Studia Riquer*, I, pp. 273-87.

CATALÁN MENÉNDEZ PIDAL, Diego, 1962. *De Alfonso X al Conde de Barcelos: cuatro estudios sobre el nacimiento de la historiografía romance en Castilla y Portugal* (Madrid: Gredos). [A partir de 1963, firma Diego Catalán.]

—, 1963. "Crónicas generales y cantares de gesta: el *Mio Cid* de Alfonso X y el del pseudo Ben-Alfaraŷ", *HR*, 31: 195-215 y 291-306, reimpr. en su *La "Estoria de España" de Alfonso X: creación y evolución*, Fuentes Cronísticas de la Historia de España, 5 (Madrid: SMP, Fundación Ramón Menéndez Pidal, & Univ. Autónoma, 1992), 93-119.

—, 1969a. "Poesía y novela en la historiografía castellana de los siglos XIII y XIV", en *Mélanges offerts à Rita Lejeune* (Gembloux: Duculot), I, pp. 423-41, reimpr. en *La "Estoria de España"* (1992), pp. 139-56.

—, 1969b. *Siete siglos de romancero: historia y poesía* (Madrid: Gredos).

—, 1970-71. "Memoria e invención en el romancero de tradición oral", *RPh*, 24: 1-25 y 441-63.

—, 1978. "Los modos de producción y 'reproducción' del texto literario y la noción de 'apertura'", en *Homenaje a Julio Caro Baroja* (Madrid: Centro de Investigaciones Sociológicas), pp. 245-70.

—, 1980. "A propósito de una obra truncada de Ramón Menéndez Pidal en sus dos versiones conocidas: notas históricas y críticas", en Menéndez Pidal et al. 1951, 2ª ed., pp. xi-xliv.

—, 1987. "Los pliegos sueltos 'perdidos' del Duque de T'Serclaes", en *Homenaje Galmés*, III, pp. 361-76.

—, 1992. "La *Estoria de los reyes moros que ovo en África que aseñorearon a España* de Sigisberto y la *Crónica fragmentaria*", en *La "Estoria de España"*, pp. 157-83. Versión ampliada de "La *Estoria de los reyes del señorío de África* del maestro Gilberto o Sujulberto: una obra del siglo XIII perdida", *RPh*, 17 (1963-64): 346-53.

Catálogo h. 1820. *Catálogo de manuscritos especiales de España, anteriores al año de 1600, que logró juntar en la mayor parte un curioso andaluz* (Madrid: Librería de Claros, impr. Josef Callado, [h. 1820]).

CATARELLA, Teresa, 1988. "A New Branch of the Hispanic *Romancero*", C, 17.1 (otoño): 23- 31.

—, 1993. *El romancero gitano-andaluz de Juan José Niño* (Sevilla: Fundación Machado).

CÁTEDRA, Pedro M., 1985. "Algunas obras perdidas de Enrique de Villena con consideraciones sobre su obra y su biblioteca", *AFE*, 2: 53-75.

—, ed., 1989. Enrique de Villena, *Traducción y glosas de la "Eneida": libro primero*, BEsXV, Serie Básica, 2 (Salamanca: Diputación).

CEJADOR Y FRAUCA, Julio, 1920. "El *Cantar de Mio Cid* y la epopeya castellana", *RH*, 49: 1-310.

CHALON, Louis, 1976. *L'Histoire et l'épopée castillane du Moyen Âge: le cycle du Cid, le cycle des Comtes de Castille*, Nouvelle Bibliothèque du Moyen Âge, 5 (Paris: Honoré Champion).

—, 1977-78. "La historicidad de la leyenda de la Condesa traidora", *JHP*, 2: 153-63.

—, 1982. "La *Jura de Santa Gadea* dans l'épopée castillane et la littérature espagnole", en *La Chanson de geste et le mythe carolingien: mélanges René Louis publiés par ses collègues, ses amis et ses élèves à l'occasion de son 75e anniversaire* (Saint-Père-sous-Vézelay: Musée Archéologique Régional), II, pp. 1217-23.

CHAMBERS, R.W., 1924-25. "The Lost Literature of Mediaeval England", *The Library*, 4ª serie, 5: 293-321.

CHAPLIN, Margaret, 1971. Reseña de Dorfman 1969, *BHS*, 48: 58-60.

CHAYTOR, H.J., 1945. *From Script to Print: An Introduction to Medieval Literature* (Cambridge: UP).

CHICOY-DABÁN, José Ignacio, 1974. "A Study of the Spanish *Queen Seuilla* and Related Themes in European Medieval and Renaissance Periods", tesis doctoral (Univ. of Toronto). *DAI*, 38 (1977-78), 3455.

—, 1978. "Un *cantar de gesta* castillan aujourd'hui perdu sur le thème de la reine Sebile", en *Charlemagne*, I, pp. 251-60.

CIROT, Georges, 1909. "Une chronique léonaise inédite", *BH*, 11: 259-82.

CLARK, James M., 1950. *The Dance of Death in the Middle Ages and the Renaissance*, Glasgow University Publications, 86 (Glasgow: Jackson).

CLARKE, Dorothy Clotelle, 1973. *Juan de Mena's "Laberinto de Fortuna": Classic Epic and "Mester de clerecía"*, Romance Monographs, 5 (University, MS: Romance Monographs).

COESTER, Alfred, 1906. "Compression in the *Poema del Cid*", *RH*, 15: 98-211.

CONCHEFF, Beatrice Jorgensen, 1976. "The Hypothetical Epic-Narrative Sources for the Catalan Chronicles of James I, Desclot, and Muntaner", tesis doctoral (Univ. of Wisconsin). *DAI*, 37 (1976-77): 359.

COSTA, Avelino de Jesús da, 1949. *Fragmentos preciosos de códices medievais*, Edições Bracara Augusta, 4 (Braga).

COSTA FONTES, Manuel da, 1981-82. "A Sephardic Vestige of the Ballad *Floresvento*", C, 10: 196-201.

—, 1992. "Another Portuguese Ballad Fragment on the Death of don Fernando I", comunicación leída en el 27th International Congress on Medieval Studies, Kalamazoo (mayo 1992), resumida en *Olifant*, 17: 101.

COTRAIT, René, 1977. *Histoire et poésie: le comte Fernán González: recherches sur la tradition gonzalienne dans l'historiographie et la littérature des origines au "Poema"*, I: *La Genèse de la légende de Fernán González: étude de la tradition gonzalienne dans l'historiographie en langue latine de Sampiro à Rodrigo de Tolède* (Grenoble: CNRS & Univ.).

CUMMINS, John G., 1970. "The Creative Process in the Ballad 'Pártese el moro Alicante'", *FMLS*, 6: 368-81.

—, 1976. "The Chronicle Texts of the Legend of the *Infantes de Lara*', *BHS*, 53: 101-16.

DAVIS, Bertram H., 1989. *Thomas Percy: A Scholar-Cleric in the Age of Johnson* (Philadelphia: Univ. of Pennsylvania Press).

DEVOTO, Daniel, 1980-82. "Leves o aleves consideraciones sobre lo que es el verso", *CLHM*, 5: 67-100, y 7: 5-60.

DEYERMOND, Alan, 1965. "The Singer of Tales and Mediaeval Spanish Epic", *BHS*, 42: 1-8.

—, 1969. *Epic Poetry and the Clergy: Studies on the "Mocedades de Rodrigo"* (London: Tamesis).

—, 1976. "Medieval Spanish Epic Cycles: Observations on their Formation and Development", *KRQ*, 23: 281-303.

—, 1976-77. "The Lost Literature of Medieval Spain: Excerpts from a Tentative Catalogue", C, 5: 93-100.

—, 1981. "'Palabras y hojas secas, el viento se las lleva': Some Literary Ephemera of the Reign of Juan II", en *Mediaeval and Renaissance Studies on Spain and Portugal in Honour of P.E. Russell* (Oxford: SSMLL), pp. 1-14.

—, 1982a. "Baena, Santillana, Resende and the Silent Century of Portuguese Court Poetry", *BHS*, 59: 198-210.

—, 1982b. "The Close of the *Cantar de Mio Cid*: Epic Tradition and Individual Variation", en *Medieval Alexander*, pp. 11-18.

—, 1984-85. Reseña de Powell 1983, C, 18: 71-80.

—, 1985. "A Monument for Per Abad: Colin Smith on the Making of the *Poema de Mio Çid*", *BHS*, 62: 120-26.

—, 1986a. "La historiografía trastámara: ¿una cuarentena de obras perdidas?", en *Estudios en homenaje a don Claudio Sánchez Albornoz en sus 90 años*, IV (Buenos Aires: IHE), pp. 161-93.

—, 1986b. "Lost Literature in Medieval Portuguese", en *Medieval and Renaissance Studies in Honour of Robert Brian Tate* (Oxford: Dolphin), pp. 1-12.

—, 1986-87. "British Contributions to the Study of the Medieval Spanish Epic", C, 15: 197-212.

—, 1988. "La sexualidad en la épica medieval española", *NRFH*, 36: 767-86.

—, 1989. "The Written Evidence for Oral Poetry, Tales and Proverbs in Medieval Spain", en *Oral and Written/Literate in Literature and Culture: Proceedings of an International Conference Held in Novi Sad, September 21-23, 1987, to Honour Vuk Stefanović Karadžić (1787-1864)*, ed. Svetozar Petrović, Symposia, 4 (Novi Sad: Vojvodina Academy of Sciences and Arts), pp. 205-14.

—, 1990. "Lost Hagiography in Medieval Spanish: A Tentative Catalogue", en *Saints and their Authors*, pp. 139-48.

—, 1993. "The Romance *Kharjas* in Hebrew Script: Woman's Song or Man's Text?", en *Circa 1492: Proceedings of the Jerusalem Colloquium: Litterae Judaeorum in terra hispanica*, ed. Isaac Benabu (Jerusalem: The Hebrew University & Misgav Yerushalayim), pp. 60-78.

—, en prensa. "The Problem of Lost Epics: Evidence and Criteria", en *Medieval Studies Presented to Colin Smith* (Liverpool: UP).

—, & Margaret Chaplin, 1972. "Folk-Motifs in the Medieval Spanish Epic', *PQ*, 51: 36-53.

DI MARINO, Margherita, 1993. "Epica e folclore nel *Poema de Fernán González*", tesina (Istituto Universitario Orientale di Napoli).

DI STEFANO, Giuseppe, 1977. "La difusión impresa del romancero antiguo en el siglo XVI", *Revista de Dialectología y Tradiciones Populares*, 33: 373-411.

—, 1985. "Gaiferos o los avatares de un héroe", en *Estudios románicos dedicados al prof. Andrés Soria Ortega en el XXV aniversario de la Cátedra de Literaturas Románicas*, I (Granada: Univ.), pp. 301-11.

—, 1988a. "Emplazamiento y muerte de Fernando IV entre prosas históricas y romancero: una aproximación", *NRFH*, 36: 879-933.

—, 1988b. "Los versos finales del romance 'En Santa Águeda de Burgos' (versión manuscrita)", en *Homenaje a Eugenio Asensio* (Madrid: Gredos), pp. 141-58.

—, ed., 1993. *Romancero*, Clásicos Taurus, 21 (Madrid: Taurus).

DÍAZ-MAS, Paloma, ed., 1994. *Romancero*, BC, 8 (Barcelona: Crítica).

DOMÍNGUEZ DEL VAL, Ursicino, 1971. "Obras desaparecidas de padres y escritores españoles", en *Repertorio de historia de las ciencias eclesiásticas en España*, II (Salamanca: Instituto de Historia de la Teología Española), pp. 11-28.

DORFMAN, Eugene, 1969. *The Narreme in the Medieval Romance Epic: An Introduction to Narrative Structures*, Univ. of Toronto Romance Series, 13 (Toronto UP).

DOUTREPONT, Georges, 1939. *Les Mises en prose des épopées et des romans chevaleresques du* XIVe *au* XVIe *siècle*, Académie Royale de Belgique, Classe des Lettres, Mémoires, 40 (Bruxelles: Académie Royale).

DRONKE, Peter, 1977. "*Waltharius-Gaiferos*", en Ursula & Peter Dronke, *Barbara et antiquissima carmina* (Bellaterra: Seminario de Literatura Medieval y Humanística, Univ. Autónoma de Barcelona).

DUBLER, C.E., 1962. "Los defensores de Teodomiro: leyenda mozárabe", en *Études d'orientalisme dédiés à la mémoire de Lévi-Provençal*, I (Paris: G.-P. Maisonneuve et Larose), pp. 111-24.

DUGGAN, Joseph J., 1976. *A Guide to Studies on the "Chanson de Roland"*, RBC, 15 (London: Grant & Cutler).

—, 1982. "The Manuscript Corpus of the Medieval Romance Epic", en *Medieval Alexander*, pp. 29-42.

—, 1989. *The "Cantar de mio Cid": Poetic Creation in its Economic and Social Contexts*, Cambridge Studies in Medieval Literature, 5 (Cambridge: UP).

—, 1989-90. "Performance and Transmission, Aural and Ocular Reception in the Thirteenth-Century Vernacular Literature of France", *RPh*, 43: 49-59.

DURÁN, Agustín, ed., 1849-51. *Romancero general, o colección de romances castellanos anteriores al siglo* XVIII, BAE, 10 y 16 (Madrid: M. Rivadeneyra).

DUTTON, Brian, 1961. "Gonzalo de Berceo and the *Cantares de gesta*", *BHS*, 38: 197-205.

—, 1976. "A Chronology of the Works of Gonzalo de Berceo", en *Medieval Hispanic Studies Presented to Rita Hamilton* (London: Tamesis), pp. 67-76.

—, con Jineen Krogstad, ed., 1990-91. *El cancionero del siglo* XV, BEsXV, Serie Maior, 1-7 (Salamanca: Univ.).

DYER, Nancy Joe, 1979-80. "*Crónica de veinte reyes*' Use of the Cid Epic: Perspectives, Method, and Rationale", *RPh*, 33: 534-44.

—, 1992. "An Alphonsine Prosification of the *Poema de mio Cid*", comunicación leída en el 27th International Congress on Medieval Studies, Kalamazoo (mayo 1992), resumida en *Olifant*, 17: 100.

—, en prensa. *El "Mio Cid" del taller alfonsí: versión en prosa en la "Primera crónica general" y en la "Crónica de veinte reyes"*, RelEH, 6 (Madrid: CSMP & Gredos).

ENTWISTLE, William J., 1923. "The Adventure of *Le Cerf au pied blanc* in Spain and Elsewhere", *MLR*, 18: 435-48.

—, 1928a. "The *Cantar de gesta* of Bernardo del Carpio", *MLR*, 23: 307-22 y 432-52.

—, 1928b. "On the *Carmen de morte Sanctii regis*", *BH*, 30: 204-19.

—, 1930. "The *Romancero del rey don Pedro* in Ayala and the *Cuarta crónica general*", *MLR*, 25: 306-26.

—, 1932. "Concerning Certain Spanish Ballads in the French Epic Cycles of *Aymeri*, *Aïol* (Montesinos), and *Ogier de Dinamarche*", en *A Miscellany of Studies in Romance Languages & Literatures Presented to Leon E. Kastner* (Cambridge: W. Heffer), pp. 207-16.

—, 1933. "Remarks Concerning the Historical Account of Spanish Epic Origins", *RH*, 81.1: 352-77.

—, 1947-48. "Remarks Concerning the Order of the Spanish *Cantares de gesta*", *RPh*, 1: 113-23.

—, 1951. *European Balladry*, 2ª ed. (Oxford: Clarendon Press).

FAULHABER, Charles B., 1983. *Medieval Manuscripts in the Library of the Hispanic Society of America: Religious, Legal, Scientific, Historical, and Literary Manuscripts*, 2 tomos (New York: HSA).

—, 1987. *Libros y bibliotecas en la España medieval: una biblioteca de fuentes impresas*, RBC, 47 (London: Grant & Cutler).

—, et al., 1984. *Bibliography of Old Spanish Texts*, 3ª ed., Bibliographic Series, 4 (Madison: HSMS).

—, & Ángel GÓMEZ MORENO, 1986. *Normas para BOOST4 (Bibliography of Old Spanish Texts - 4th Edition)* (Madison: HSMS).

FLORANES ROBLES Y ENCINAS, Rafael de, ed., 1851. Lorenzo Galíndez de Carvajal, *Anales breves del reinado de los Reyes Católicos don Fernando y doña Isabel*, Colección de Documentos Inéditos para la Historia de España, 18 (Madrid: impr. Viuda de Calero), pp. 227-422.

FRADEJAS LEBRERO, José, 1963. *Estudios épicos: "El cerco de Zamora"*, Aula Magna, 5 (Ceuta: Instituto Nacional de Enseñanza Media).

—, 1988. "La poesía épica", en *Enciclopedia temática de Aragón*, VII: *Literatura*, ed. Manuel Alvar (Zaragoza: Moncayo), pp. 62-91.

FRAKER, Charles F., 1974. "Sancho II: Epic and Chronicle", *R*, 95: 467-507.

—, 1990. "The Beginning of the *Cantar de Sancho*", C, 19.1 (otoño): 5-21.

FRANKLIN, Albert B., 1937. "A Study of the Origins of the Legend of Bernardo del Carpio", *HR*, 5: 286-303.

FRENK, Margit, et al., ed., 1987. *Corpus de la antigua lírica popular hispánica (siglos XV a XVII*, Nueva Biblioteca de Erudición y Crítica, 1 (Madrid: Castalia).

FREYSCHLAG, Elizabeth Kyle, 1965. "A Consideration of Pelayo in Spanish Literature", tesis doctoral (Stanford Univ.). *DA*, 26 (1965-66): 5411-12.

GALMÉS DE FUENTES, Álvaro, 1978. *Épica árabe y épica castellana*, Letras e Ideas, Minor, 8 (Barcelona: Ariel).

GARCIA, Michel, 1992. "La crónica castellana en el siglo XV", en *Actas II AHLM*, I, pp. 53-70.

GARCÍA VILLADA, Zacarías, 1918. "La batalla de Covadonga en la tradición y en la leyenda", en *Batalla y Santuario de Covadonga*, ed. Antonio Alonso Rodríguez (Oviedo: Imp. La Cruz, [¿1918?]), pp. 5-19.

GARDINER, N.E., 1939. "The Ballads of the Prior de San Juan", *MLR*, 34: 550-56.

GARGANO, Antonio, ed., 1981. Juan de Flores, *Triunfo de Amor*, Collana di Testi e Studi Ispanici, 1.2 (Pisa: Giardini).

GARRIDO, Rosa M., 1967-68. "El *Cantar del rey Fernando el Magno*", *BRABLB*, 32: 67-95.

GASCÓN VERA, Elena, 1979. "La quema de los libros de don Enrique de Villena: una maniobra política y antisemítica", *BHS*, 56: 317-24.

GAYANGOS, Pascual de, ed., 1860. *Escritores en prosa anteriores al siglo XV*, BAE, 51 (Madrid: M. Rivadeneyra).

—, & Enrique de Vedia, trad. & ed., 1854. George Ticknor, *Historia de la literatura española [...] con adiciones y notas*, III (Madrid: M. Rivadeneyra).

GIL, Juan, ed., 1974. "*Carmen de expugnatione Almariae urbis*", *Habís*, 5: 45-64.

GOLDSCHMIDT, E.P., 1943. *Medieval Texts and their First Appearance in Print* (London: Oxford UP, para la Bibliographical Society).

GÓMEZ MORENO, Ángel, 1991. *El teatro medieval castellano en su marco románico*, Persiles, 203 (Madrid: Taurus).

—, & Maximilia[a]n P.A.M. KERKHOF, ed., 1988. Íñigo López de Mendoza, Marqués de Santillana, *Obras completas*, Clásicos Universales Planeta, 146 (Barcelona: Planeta).

GÓMEZ PÉREZ, José, 1963-64. "Leyendas medievales españolas del ciclo carolingio", *Anuario de Filología* (Maracaibo), 2-3: 7-136.

—, 1965. "Leyendas carolingias en España", *Anuario de Filología*, 4: 121-93.

GÓMEZ REDONDO, Fernando, 1986-87. "Fórmulas juglarescas en la historiografía", C, 15: 225-39.

GORNALL, John, ed., 1991. *"Ensaladas villanescas" Associated with the "Romancero nuevo"*, EHT, 50 (Exeter: UP).

GWARA, Joseph J., 1986-87. "The Identity of Juan de Flores: The Evidence of the *Crónica incompleta de los Reyes Católicos*", *JHP*, 11: 103-30 y 205-22.

HARVEY, L.P., 1980. "Medieval Spanish", en *Traditions of Heroic and Epic Poetry*, I: *The Traditions*, ed. A.T. Hatto, Publications of the MHRA, 13 (London: MHRA), pp. 134-64.

HATTO, A.T., 1989. "Towards an Anatomy of Heroic/Epic Poetry", en *Traditions of Heroic and Epic Poetry*, II: *Characteristics and Techniques*, ed. J.B. Hainsworth & A.T. Hatto, Publications of the MHRA, 13 (London: MHRA), pp. 145-306.

HEINERMANN, Theodor, 1927. *Untersuchungen zur Entstehung der Sage von Bernardo del Carpio*, Studien über Amerika und Spanien, 2 (Halle: Max Niemeyer).

HENRÍQUEZ UREÑA, Pedro, 1961. *Estudios de versificación española* (Buenos Aires: Eudeba).

HERNANDO PÉREZ, José, 1986. "Nuevos datos para el estudio del *Poema de Fernán González*", *BRAE*, 66: 135-52.

HOOK, David, 1979. "The Opening Laisse of the *Poema de Mio Cid*", *Revue de Littérature Comparée*, 53: 490-501.

—, 1982. "The *Poema de Mio Cid* and the Old French Epic: Some Reflections", en *Medieval Alexander*, pp. 107-18.

—, 1991. *The Earliest Arthurian Names in Spain and Portugal*, Fontaine Notre Dame, 1 (St Albans: David Hook).

—, 1993a. "Roland in Medieval Spain", comunicación leída en el simposio sobre Roland in Europe, Institute of Romance Studies, Univ. of London, 21 de mayo.

—, 1993b. "Transilluminating Tristán", *Celestinesca*, 17.2 (nov.: *Studies for Peter E. Russell on his Eightieth Birthday*): 55-84.

HORRENT, Jacques, 1970. "L'Allusion à la chanson de Mainet contenue dans le *Roncesvalles*", *Marche Romane*, 20.1 (*Hommage des romanistes liégeois à la mémoire de Ramón Menéndez Pidal*): 85-92.

—, 1978. "L'Histoire légendaire de Charlemagne en Espagne", en *Charlemagne*, pp. 125- 56.

—, 1979. *Les Versions françaises et étrangères des Enfances de Charlemagne*, Mémoires de la Classe des Lettres, 2ª serie, 64.1 (Bruxelles: Académie Royale de Belgique).

—, 1987. "Reflexiones sobre las relaciones arábigo-hispano-francesas en la épica", en *Homenaje Galmés*, III, pp. 665-84.

HORRENT, Jules, 1951a. *La "Chanson de Roland" dans les littératures française et espagnole du Moyen Âge*, BFPLUL, 120 (Paris: Les Belles Lettres).

—, 1951b. *"Roncesvalles": étude sur le fragment de "cantar de gesta" conservé à l'Archivo de Navarra (Pampelune)*, BFPLUL, 122 (Paris: Les Belles Lettres).

—, 1961. *"La jura de Santa Gadea*: historia y poesía", en *Studia Alonso*, II, pp. 241-65.

—, 1973. *Historia y poesía en torno al "Cantar del Cid"* (Barcelona: Ariel).

HUGHES, Kathleen, 1980. "Where Are the Writings of Early Scotland?", en su *Celtic Britain in the Early Middle Ages: Studies in Scottish and Welsh Sources*, ed. David Dumville, Studies in Celtic History, 7 (Woodbridge: Boydell Press; Totowa, NJ: Rowman & Littlefield), pp. 1-21.

HUICI MIRANDA, Ambrosio, 1956. *Las grandes batallas de la Reconquista durante las invasiones africanas (almorávides, almohades y benimerines)* (Madrid: CSIC).

INFANTES, Víctor, 1989. "Poesía teatral en la corte: historia de las *Églogas* de Diego Guillén de Ávila y Fernando del Prado", en *Age*, pp. 76-82.

JESCH, Judith, 1982-85. "Two Lost Sagas", *Saga-Book*, 21: 1-14.

—, 1984. "The Lost Literature of Medieval Iceland: Sagas of Icelanders", tesis doctoral (Univ. of London (University College)).

JONES, Harold G., 1978-79. "The Castilian Verse Epitaph of Ruy García, A.D. 1297", C, 7: 59-61.

JORDAN, Sophia K., ed., 1991. *Preserving Libraries for Medieval Studies: Working Papers from the Colloquium at the University of Notre Dame, March 25-26, 1990*, Contributions in Academic Librarianship, 1 (Notre Dame: University Libraries).

KELLER, Hans-Erich, 1992. "La Technique des mises en prose des chansons de geste", *Olifant*, 17: 5-28.

KELLER, Jean Paul, 1990. *The Poet's Myth of Fernán González* (Potomac, MD: Scripta Humanistica).

KNUST, Hermann, 1865. "Das *Libro de los gatos*", *Jahrbuch für Romanische und Englische Literatur*, 6: 1-42 y 119-41.

KRAPPE, Alexander Haggerty, 1923. *The Legend of Rodrick, the Last of the Visigoth Kings, and the Ermanarich Cycle* (Heidelberg: Carl Winter).

—, 1924. "The *Cantar de los Infantes de Lara* and the *Chanson de Roland*", *Neuphilologisches Mitteilungen*, 25: 15-24.

LACARRA, María Eugenia, en prensa. "Sobre la historicidad de la leyenda de los Siete infantes de Lara."

LAPESA, Rafael, 1985. *Estudios de historia lingüística española* (Madrid: Paraninfo).

LATHROP, Thomas A., 1972. *The Legend of the "Siete Infantes de Lara" ("Refundición toledana de la Crónica de 1344" Version)*, UNCSRLL, 122 (Chapel Hill: Univ. of North Carolina Press).

—, 1980. "*The Singer of Tales* and the *Siete infantes de Lara*", en *Medieval, Renaissance and Folklore Studies in Honor of John Esten Keller* (Newark, DE: Juan de la Cuesta), pp. 151-58.

LAWRANCE, Jeremy N.H., 1984. "Nueva luz sobre la biblioteca del Conde de Haro: inventario de 1455", *AFE*, 1: 1073-1111.

LEJEUNE, Rita, 1961. "Le Péché de Charlemagne et la *Chanson de Roland*", en *Studia Alonso*, II, pp. 339-71.

LÉVI-PROVENÇAL, E., 1934. "Hispano-arabica: la 'Mora Zaida', femme d'Alphonse VI de Castille, et leur fils l'Infant D. Sancho", *Hespéris*, 18: 1-8.

—, & Ramón MENÉNDEZ PIDAL, 1948. "Alfonso VI y su hermana la infanta Urraca", *Al-Andalus*, 13: 157-66.

LIDA DE MALKIEL, María Rosa, 1949. Reseña de Menéndez Pidal 1948.

LOBERA SERRANO, Francisco J., 1989. "Los conversos sevillanos y la Inquisición: el *Libello* de 1480", *CN*, 49: 7-53.

LÓPEZ-BARALT, Luce, 1980. "Crónica de la destrucción de un mundo: la literatura aljamiado-morisca", *BH*, 82: 16-58.

LÓPEZ ESTRADA, Francisco, 1982. *Panorama crítico sobre el "Poema del Cid"*, Literatura y Sociedad, 30 (Madrid: Castalia).

LORD, Albert B., 1960. *The Singer of Tales*, Harvard Studies in Comparative Literature, 24 (Cambridge, MA: Harvard UP).

—, 1991. *Epic Singers and Oral Tradition* (Ithaca: Cornell UP).

LYALL, R.J., 1989. "The Lost Literature of Medieval Scotland", en *Bryght Lanterns: Essays on the Language and Literature of Medieval and Renaissance Scotland*, ed. J. Derrick McClure & Michael R.G. Spiller (Aberdeen: UP), pp. 33-47.

MAGNOTTA, Miguel, 1976. *Historia y bibliografía de la crítica sobre el "Poema de Mío Cid" (1750-1971)*, UNCSRLL, 145 (Chapel Hill: Department of Romance Languages, Univ. of North Carolina).

MARCOS MARÍN, Francisco, 1971. *Poesía narrativa árabe y épica hispánica: elementos árabes en los orígenes de la épica hispánica* (Madrid: Gredos).

—, 1986. "Tejidos árabes e independencia de Castilla", *BHS*, 63: 355-61.

MARÍN SÁNCHEZ, Ana María, ed., 1993. *"Istoria de las bienandanzas e fortunas" de Lope García de Salazar (Ms. 9-10-2/2100 R.A.H.)* (Zaragoza: Univ.).

MARISCAL DE RHETT, Beatriz, 1989. "De reyes y vasallos: el Cid en el romancero oral moderno", en *El romancero: tradición y pervivencia a fines del siglo XX: Actas del IV Coloquio Internacional del Romancero (Sevilla-Puerto de Santa María-Cádiz, 23-26 de junio de 1987)*, ed. Pedro M. Piñero et al. (Sevilla: Fundación Machado; Cádiz: Univ.), pp. 101-10.

MÁRQUEZ [VILLANUEVA], Francisco, & Francisco Martín Hernández, ed., 1961. Hernando de Talavera, *La cathólica impugnación del herético libelo que en el año 1480 fue divulgado en la cibdad de Sevilla*, Espirituales Españoles, 6 (Barcelona: Juan Flors).

MARTIN, Georges, 1984. "La Chute du royaume visigothique de l'Espagne dans l'historiographie chrétienne des VIIIe et IXe siècles: sémiologie socio-historique", *CLHM*, 9: 207-33.

—, 1992. *Les Juges de Castille: mentalités et discours historique dans l'Espagne médiévale*, Annexes des *CLHM*, 6 (Paris: Séminaire d'Études Médiévales Hispaniques, Univ. de Paris-XIII).

—, 1993a. "Du récit historique castillan: formes, enjeux sémantiques et fonctions socio-culturelles", *Les Langues Néo-Latines*, núms. 286-87: 15-28.

—, 1993b. "¿Fue *Mio Cid* castellano?", *Ibérica*, 2: 184-200.

MARTÍNEZ, Salvador, 1971. "Tres leyendas heroicas de la *Najerense* y sus relaciones con la épica castellana", *AL*, 9: 115-77.

—, 1975. *El "Poema de Almería" y la épica románica* (Madrid: Gredos).

—, 1986-87. "Alfonso VI: Hero in Search of a Poet", *C*, 15: 1-16.

—, 1991. "Épica románica en Cataluña: reliquias de una tradición latina", en *Studia Riquer*, IV, pp. 25-68.

MASSÓ TORRENTS, J., 1905. "Inventari dels bens mobles del Rey Martí d'Aragó", *RH*, 12: 413-590.

MAZZATINTI, Giuseppe, 1897. *La biblioteca dei Re d'Aragona in Napoli* (Rocca S. Casciano: L. Capelli).

MENÉNDEZ Y PELAYO, M., 1903-04. "Indagaciones y conjeturas sobre algunos temas poéticos perdidos", *La España Moderna*, núms. 180 (dic. 1903), 108-27; 181 (enero 1904), 94-112.

—, ed., 1908. "Dos opúsculos inéditos de D. Rafael Floranes y D. Tomás Antonio Sánchez sobre los orígenes de la poesía castellana", *RH*, 18: 295-431.

—, 1944-45. *Antología de poetas líricos castellanos*, Edición Nacional de las Obras Completas de Menéndez Pelayo, ed. E. Sánchez Reyes, 17-26 (Santander: CSIC).

MENÉNDEZ PIDAL, Ramón, 1899. "Notas para el romancero del conde Fernán González", en *Homenaje a Menéndez y Pelayo en el año vigésimo de su profesorado: estudios de erudición española* (Madrid: Victoriano Suárez), I, pp. 429-507.

—, 1908. "A propósito de *La Bibliothèque du marquis de Santillane*, por Mario Schiff, Paris, 1905", *BH*, 10: 397-411.

—, 1914. "Poesía popular y romancero", parte 1, *RFE*, 1: 357-77. Reimpr. en Menéndez Pidal 1973: 87-106.

—, 1917. "*Roncesvalles*: un nuevo cantar de gesta español del siglo XIII", *RFE*, 4: 105-204. Reimpr. en sus *Textos medievales españoles: ediciones críticas y estudios*, Obras Completas de R. Menéndez Pidal, 12 (Madrid: Espasa-Calpe, 1976), pp. 7-102.

—, 1923. "Relatos poéticos en las crónicas medievales: nuevas indicaciones', *RFE*, 10: 329-72.

—, ed., 1925a. *Floresta de leyendas heroicas españolas: Rodrigo, el último godo*, I: *La Edad Media*, Clásicos Castellanos, 62 (Madrid: La Lectura).

—, 1925b. *El rey Rodrigo en la literatura* (Madrid: RAE). Separata, con paginación independiente, de artículo publicado en *BRAE*, 11 (1924) y 12 (1925).

—, 1933. "Supervivencia del *Poema de Kudrun*: orígenes de la balada", *RFE*, 20: 1-59. Reimpr. en su *Los godos y la epopeya española: "chansons de geste" y baladas nórdicas*, Col. Austral, 1275 (Madrid: Espasa-Calpe, 1956), pp. 89-173.
—, 1934a. "*Galiene la Belle* y los palacios de Galiana en Toledo", en su *Historia y epopeya*, Obras de R. Menéndez Pidal, 2 (Madrid: Centro de Estudios Históricos), pp. 263-84.
—, 1934b. "La leyenda del abad don Juan de Montemayor", ibid., pp. 99-233.
—, 1934c. "Realismo de la epopeya española: leyenda de la Condesa Traidora", ibid., pp. 1-27.
—, 1934d. "El *Romanz del Infant García* y Sancho de Navarra antiemperador", ibid., pp. 29-98.
—, 1938. "La *Crónica general de España* que mandó componer Alfonso el Sabio", en sus *Estudios literarios*, Col. Austral, 28 (Buenos Aires: Espasa-Calpe, 1938, reimpr. 1946), pp. 139-202.
—, 1943. "Sobre primitiva lírica española", *CN*, 3: 203-13.
—, 1945. *La epopeya castellana a través de la literatura española* (Buenos Aires: Espasa- Calpe Argentina). Revisión de *L'Épopée castillane à travers la littérature espagnole* (Paris: Armand Colin, 1910).
—, 1948. "Un viejo romance cantado por Sabbatai Ceví", en *Mediaeval Studies in Honor of Jeremiah Denis Matthias Ford, Smith Professor of French and Spanish Literature, Emeritus* (Cambridge, MA: Harvard UP), pp. 183-90. Revisado en 1953: II, 222-25.
—, 1950. "La *Chanson des Saisnes* en España", en *Mélanges de linguistique et de littératures romanes offerts à Mario Roques, professeur honoraire au Collège de France, Membre de l'Institut, par ses amis, ses collègues et ses anciens élèves de France et de l'étranger*, I (Bade: Éditions Art et Science; Paris: Marcel Didier), pp. 229-44. Reimpr. en su *Los godos y la epopeya española: "chansons de geste" y baladas nórdicas*, Colección Austral, 1275 (Madrid: Espasa-Calpe, 1956), pp. 175-209.
—, 1953. *Romancero hispánico (hispano-portugués, americano y sefardí): teoría e historia*, Obras Completas de R. Menéndez Pidal, 9-10 (Madrid: Espasa-Calpe).
—, ed., 1954-56. *Cantar de Mio Cid*, 3ª ed., Obras Completas, 3-5 (Madrid: Espasa- Calpe).
—, ed., 1955. *Primera crónica general de España que mandó componer Alfonso el Sabio y se continuaba bajo Sancho IV en 1289*, 2ª ed., 2 tomos (Madrid: SMP & Gredos).
—, 1956a. *La España del Cid*, 5ª ed., Obras Completas, 6-7 (Madrid: Espasa-Calpe).
—, 1956b. "Problemas de la poesía épica", en *Los godos y la epopeya española*, pp. 59- 87.
—, 1957. *Poesía juglaresca y orígenes de las literaturas románicas: problemas de historia literaria y cultural*, Biblioteca de Cuestiones Actuales, 6

(Madrid: Instituto de Estudios Políticos). Versión revisada de *Poesía juglaresca y juglares: aspectos de la historia literaria y cultural de España*, Publicaciones de la *RFE*, 7 (Madrid: Centro de Estudios Históricos, 1924).

—, 1960a. *"La Chanson de Roland" et la tradition épique des Francs*, 2ª ed., con René Louis, trad. I.-M. Cluzel (Paris: A. & J. Picard).

—, ed., 1960b. *Pliegos poéticos españoles en la Universidad de Praga*, I, Colección Joyas Bibliográficas, Serie Conmemorativa, 7 (Madrid: Dirección General de Archivos y Bibliotecas).

—, 1961. "Dos poetas en el *Cantar de Mio Cid*", *R*, 82: 145-200.

—, 1965-66. "Los cantores épicos yugoeslavos y los occidentales: el *Mio Cid* y dos refundidores primitivos", *BRABLB*, 31: 195-225.

—, 1971. *La leyenda de los Infantes de Lara*, 3ª ed., ed. Diego Catalán, Obras Completas, 1 (Madrid: Espasa-Calpe). 1ª ed. 1896.

—, 1973. *Estudios sobre el romancero*, Obras Completas, 11 (Madrid: Espasa-Calpe).

—, 1992. *La épica medieval española desde sus orígenes hasta su disolución en el romancero*, ed. Diego Catalán & María del Mar de Bustos, Obras Completas, 13 (Madrid: Espasa-Calpe, 1992).

— et al., 1951. *Reliquias de la poesía épica española* (Madrid: Instituto de Cultura Hispánica & CSIC). 2ª ed., ed. Diego Catalán, RelRH, 1 (Madrid: CSMP & Gredos, 1980), con su 1ª versión inédita de 1936, *Epopeya y romancero*.

—, ed., 1957-63. *Romancero tradicional de las lenguas hispánicas (español-portugués-catalán-sefardí)*, I-II (Madrid: SMP & Gredos).

MICHAEL, Ian, 1992. "Orígenes de la epopeya en España: reflexiones sobre las últimas teorías", en *Actas II AHLM*, I, pp. 71-88.

MILETICH, John S., 1981. "Repetition and Aesthetic Function in the *Poema de Mio Cid* and South Slavic Oral and Literary Epic", *BHS*, 58: 189-96.

—, 1986. "Oral Aesthetics and Written Aesthetics: The South Slavic Case and the *Poema de Mio Cid*", en *Hispanic Studies in Honor of Alan D. Deyermond: A North American Tribute* (Madison: HSMS), pp. 183-204.

—, 1988. "Muslim Oral Epic and Medieval Epic", *MLR*, 83: 911-24.

MIRRER-SINGER, Louise, 1986. *The Language of Evaluation: A Sociolinguistic Approach to the Story of Pedro el Cruel in Ballad and Chronicle*, Purdue Univ. Monographs in Romance Languages, 20 (Amsterdam: John Benjamins).

MONTANER FRUTOS, Alberto, 1988. "La **Gesta de las mocedades de Rodrigo* y la *Crónica particular del Cid*", en *Actas I AHLM*, pp. 431-44.

—, 1989a. "El concepto de la oralidad y su aplicación a la literatura española de los siglos XVI y XVII", *Criticón*, 45: 183-98.

—, 1989b. *Política, historia y drama en el cerco de Zamora* (Zaragoza: Univ.).

—, ed., 1993a. *Cantar de mio Cid*, BC, 1 (Barcelona: Crítica).

—, 1993b. "*Cave carmen!*: de huellas de asonancia a 'prosa rimada' en las prosificaciones épicas cronísticas", en *Actas do IV Congresso da Associação Hispânica de Literatura Medieval (Lisboa, 1-5 outubro 1991)*, ed. Aires A. Nascimento & Cristina Almeida Ribeiro, II (Lisboa: Cosmos), pp. 67-72.

—, en prensa a. "De nuevo sobre los versos iniciales perdidos del *Cantar de mio Cid*", en *Actas del V Congreso de la Asociación Hispánica de Literatura Medieval*, ed. Juan Paredes (Granada: Univ.).

—, en prensa b. "*De quo cantatur*: ¿historia oral o cita épica en el *Poema de Almería*?", *JHR*.

MONTEVERDI, Angelo, 1934. "Il cantare degli Infanti di Salas", *Studi Medievali*, ns, 7: 113-50.

MONTGOMERY, Thomas, 1982-83. "Some Singular Passages in the *Mocedades de Rodrigo*", *JHP*, 7: 121-34.

—, 1984. "Las *Mocedades de Rodrigo* y los romances", en *Josep Maria Solà-Solé: homage, homenaje, homenatge: miscelánea de estudios de amigos y discípulos* (Barcelona: Puvill), II, pp. 119-33.

—, 1994. "The Seventh Infante and Roland", comunicación leída en el 29th International Congress on Medieval Studies, Kalamazoo (mayo 1994).

MOREL-FATIO, Alfred, 1896. "Les Deux *Omero* castillans", *R*, 25: 111-29.

MORLEY, S. Griswold, 1945. "Chronological List of Early Spanish Ballads", *HR*, 13: 273-87.

MUÑOZ CORTÉS, Manuel, 1987. "Algunas sugerencias sobre la *Partición de los reinos* en la *Crónica de veinte reyes*", en *Homenaje al Profesor Juan Torres Fontes* (Murcia: Univ. & Academia de Alfonso el Sabio), II, pp. 1193-1215.

NADER, Helen, 1979. *The Mendoza Family in the Spanish Renaissance 1350-1550* (New Brunswick, NJ: Rutgers UP).

NORTHUP, George Tyler, 1905. "The *Libro del Oso*", *MLN*, 20: 30-31.

OCHRYMOWYCZ, Orest R., 1975. *Aspects of Oral Style in the "Romances juglarescos" of the Carolingian Cycle*, Univ. of Iowa Studies in Spanish Language and Literature, 17 (Iowa City: Univ. of Iowa).

OLTRA, José Miguel, 1987. "Los romances en torno a Ramiro II el Monje: notas previas para una edición global de los mismos", en *Edición y anotación de textos del Siglo de Oro: Actas del Primer Seminario Internacional [...], Pamplona [...], 1986* (Pamplona: Univ. de Navarra), pp. 245-73.

ORCÁSTEGUI GROS, Carmen, ed., 1985. *Crónica de San Juan de la Peña: versión aragonesa* (Zaragoza: Institución Fernando el Católico).

ORDUNA, Germán, 1985. "El texto del *Poema de Mio Cid* ante el proceso de la tradicionalidad oral y escrita", *Letras*, 14: 57-66.

PARDO, Aristóbulo, 1972. "Los versos 1-9 del *Poema de Mio Cid*: ¿no comenzaba ahí el *Poema*?", *Thesaurus*, 27: 261-92.

PARRILLA, Carmen, 1989. "Un cronista olvidado: Juan de Flores, autor de la *Crónica incompleta de los Reyes Católicos*", en *Age*, pp. 123-33.

PATTISON, D.G., 1979. "Legendary Material and its Elaboration in an Idiosyncratic Alphonsine Chronicle", en *Belfast Spanish and Portuguese Papers*, ed. P.S.N. Russell-Gebbett et al. (Belfast: Queen's Univ.), pp. 173-81.

—, 1982. "The Legend of the Sons of Sancho el Mayor", *MAe*, 51: 35-54.

—, 1983. *From Legend to Chronicle: The Treatment of Epic Material in Alphonsine Historiography*, *MAe* Monographs, ns, 13 (Oxford: SSMLL).

PELLEN, René, 1976. Reseña de Ubieto Arteta 1972, *Revue de Linguistique Romane*, 40: 241-57.

—, 1985-86. "Le Modèle du vers épique espagnol à partir de la formule cidienne ('el que en buen hora...'): exploitation des concordances pour l'analyse des structures textuelles", *CLHM*, 10 (1985): 5-37 y 11 (1986): 5-132.

PENNY, Ralph, 1993. *Gramática histórica del español* (Barcelona: Ariel).

PÉREZ DE URBEL, Justo, 1971. "Sobre la cronología de la gesta de los Infantes de Salas", *Revista Instituto José Cornide de Estudios Coruñeses*, 4.4 (1968 [1971]): 167-84.

PÉREZ VIDAL, José, 1952. "*Floresvento* y *La esposa infiel*", *Douro-Literal*, 9: 37-40.

PÉREZ VILLANUEVA, Joaquín, 1991. *Ramón Menéndez Pidal: su vida y su tiempo* (Madrid: Espasa-Calpe).

PIACENTINI, Giuliana, 1981. *Ensayo de una bibliografía analítica del romancero antiguo: los textos (siglos* XV *y* XVI*)*, I: *Los pliegos sueltos*, Collana di Testi e Studi Ispanici, IV: Ricerche Bibliografiche, ii: Investigaciones sobre el Romancero Antiguo, 1 (Pisa: Giardini).

—, 1984. "Romances en *ensaladas* y géneros afines", *AFE*, 1: 1135-73.

PICCUS, Jules, 1971. "Jerónimo de Zurita y el *Cantar de Mio Cid*", *NRFH*, 20: 381-84.

PIMPÃO, Álvaro J. da Costa, 1959. *História da literatura portuguesa: Idade Média*, 2ª ed. (Coimbra: Atlântida).

PLUMPTON, Jill E., 1962. "An Historical Study of the Legend of Garci Fernández", tesina (Univ. of St Andrews).

POWELL, Brian, 1983. *Epic and Chronicle: The "Poema de mio Cid" and the "Crónica de veinte reyes"*, MHRA Texts and Dissertations, 18 (London: MHRA).

—, 1984. "The *Partición de los reinos* in the *Crónica de veinte reyes*", *BHS*, 61: 459-71.

—, 1988. "The Opening Lines of the *Poema de Mio Cid* and the *Crónica de Castilla*", *MLR*, 83: 342-50.

PROPP, Vladimir, 1968. *The Morphology of the Folktale*, trad. Laurence Scott, ed. Svatava Pirkova-Jakobson, Louis A. Wagner & Alan Dundes, Publications of the American Folklore Society, Bibliographical and Special Series, 9; Indiana University Research Center in Anthropology, Folklore, and Linguistics, Publication 10 (Austin: Univ. of Texas Press).

PURCELL, Joanne B., 1976. "The *Cantar de la muerte del rey don Fernando* in Modern Oral Tradition: Its Relationship to Sixteenth-Century *Romances* and Medieval Chronicle Prosifications", tesis doctoral (Univ. of California at Los Angeles, 1976). *DAI*, 37 (1976-77), 1597-98.

PUYOL Y ALONSO, Julio, 1911. *Cantar de gesta de don Sancho II de Castilla* (Madrid: Victoriano Suárez).

QUILIS, Antonio, ed., 1980. Antonio de Nebrija, *Gramática de la lengua castellana*, Clásicos para una Biblioteca Castellana, 3 (Madrid: Editora Nacional).

QUINT, David, 1993. *Epic and Empire: Politics and Generic Form from Virgil to Milton* (Princeton: UP).

REIG, Carola, 1947. *El cantar de Sancho II y cerco de Zamora*, Anejos de la *RFE*, 37 (Madrid: CSIC).

REILLY, Bernard F., 1976. "Sources of the Fourth Book of Lucas of Túy's *Chronicon Mundi*", *Classical Folia*, 30: 127-37.

—, 1985. "Rodrigo Giménez de Rada's Portrait of Alfonso VI of León-Castile in the *De rebus Hispaniae*: Historical Methodology in the Thirteenth Century", in *Estudios en homenaje a don Claudio Sánchez-Albornoz en sus 90 años*, III (Buenos Aires: IHE, Univ. de Buenos Aires), pp. 87-97.

RIAÑO, Timoteo, & María Carmen GUTIÉRREZ AJA, 1992-93. "De los pretendidos aragonesismos en el *Cantar de Mio Cid*", *Archivo de Filología Aragonesa*, 48-49: 207-23.

RIBERA Y TARRAGÓ, Julián, 1915. "Huellas, que aparecen en los primitivos historiadores musulmanes de la Península, de una poesía épica romanceada que debió florecer en Andalucía en los siglos IX y X", en *Discursos leídos ante la Real Academia de la Historia en la recepción pública del Señor D. Julián Ribera y Tarragó el día 6 de junio de 1915* (Madrid: RAH, 1915), 9-57. Reimpr.: "Épica andaluza romanceada", en sus *Disertaciones y opúsculos: edición colectiva que en su jubilación le ofrecen sus discípulos y amigos* (Madrid: impr. Estanislao Maestre, 1928), I, pp. 93-150.

RICHTHOFEN, Erich von, 1954. *Estudios épicos medievales* (Madrid: Gredos).

—, 1970. *Nuevos estudios épicos medievales* (Madrid: Gredos).

—, 1972. *Tradicionalismo épico-novelesco* (Barcelona: Planeta).

RICO, Francisco, 1969. "Las letras latinas del siglo XII en Galicia, León y Castilla", *Ábaco*, 2: 9-91.

—, 1975. "Çorraquín Sancho, Roldán y Oliveros: un cantar paralelístico castellano del siglo XII", en *Homenaje a la memoria de don Antonio Rodríguez-Moñino 1910-1970* (Madrid: Castalia), pp. 537-64.

—, 1985. "Del *Cantar del Cid* a la *Eneida*: tradiciones épicas en torno al *Poema de Almería*", *BRAE*, 65: 197-211.

—, 1993. "Estudio preliminar", en Montaner 1993a: x-xliii.

RIQUER, Martín de, 1957. *Les Chansons de geste françaises*, trad. Irénée Cluzel (Paris: Librairie Nizet). Refundición de *Los cantares de gesta franceses: sus problemas, su relación con España* (Madrid: Gredos, 1952).

—, 1959. "Épopée jongleresque à écouter et épopée romanesque à lire", en *La Technique littéraire des chansons de geste: Actes du Colloque de Liège (septembre 1957)*, BFPLUL, 110 (Paris: Les Belles Lettres), pp. 75-84.

—, 1968. "El fragmento de *Roncesvalles* y el planto de Gonzalo Gústioz", en su *La leyenda del Graal y temas épicos medievales*, El Soto, 4 (Madrid: Prensa Española), pp. 205-13. Primera versión en *Studi in onore di Angelo Monteverdi* (Modena: Società Editrice Modenese, 1959), pp. 623-28.

—, 1982. *Història de la literatura catalana*, 3ª ed., I (Barcelona: Ariel).

—, ed. & trad., 1983. *"Chanson de Roland/Cantar de Roldán" y el "Roncesvalles" navarro*, Biblioteca Filológica, 1 (Barcelona: El Festín de Esopo).

—, 1984. *Literaturas medievales de transmisión oral*, Historia de la Literatura Universal, 2 (Madrid: Planeta).

RODRÍGUEZ-MOÑINO, Antonio, 1965. *Historia de una infamia bibliográfica, la de San Antonio de 1823: realidad y leyenda de lo sucedido con los libros y papeles de don Bartolomé José Gallardo*, La Lupa y el Escalpelo, 4 (Madrid: Castalia).

—, 1970. *Diccionario bibliográfico de pliegos sueltos poéticos (siglo XVI)* (Madrid: Castalia).

—, 1973. *Manual bibliográfico de cancioneros y romanceros impresos durante el siglo XVI*, ed. Arthur L.-F. Askins, 2 tomos (Madrid: Castalia).

—, 1976. *Los pliegos poéticos de la Biblioteca Colombina (siglo XVI): estudio bibliográfico*, ed. Arthur L.-F. Askins, UCPMP, 110 (Berkeley: Univ. of California Press).

—, & María BREY MARIÑO, 1965-66. *Catálogo de los manuscritos poéticos existentes en la biblioteca de The Hispanic Society of America (siglos XV, XVI y XVII)*, 3 tomos (New York: HSA).

ROSELL, Cayetano, ed., 1878. Diego Enríquez del Castillo, *Crónica del rey don Enrique el Cuarto*, en *Crónicas de los reyes de Castilla*, III, BAE, 70 (Madrid: Rivadeneyra), pp. 97-222.

ROZZELL, Ramon, 1952. "The Song and Legend of Gómez Arias", *HR*, 20: 91-107.

RUBIO, Fernando, ed., 1964. *Prosistas castellanos del siglo XV*, II, BAE, 171 (Madrid: Atlas).

RUIZ ASENCIO, José Manuel, 1969. "La rebelión de Sancho García heredero del condado de Castilla", *HS*, 22: 31-67.

—, & Mauricio Herrero Jiménez, ed., 1991. "Transcripción", en *Crónica de veinte reyes*, ed. César Hernández Alonso (Burgos: Ayuntamiento), pp. 81-348.

RUSSELL, P.E., 1978a. "La oración de doña Jimena: *Poema de Mio Cid*, vv. 325-367", en sus *Temas de "La Celestina" y otros estudios del "Cid" al*

"*Quijote*", Letras e Ideas, Maior, 14 (Barcelona: Ariel, 1978), pp. 113-58.

—, 1978b. "San Pedro de Cardeña y la historia heroica del Cid", en sus *Temas*, pp. 71-112. Trad. (con bibl. adicional) del original inglés, *MAe*, 27 (1958): 57-79.

SAINZ MORENO, Javier, 1989. *Jerónimo Visqué de Perigord autor del "Poema de Mio Cid"* (Madrid: el autor, impr. Romagraf).

SÁNCHEZ, Thomás Antonio, 1779. *Colección de poesías castellanas anteriores al siglo XV: preceden noticias para la vida del primer Marqués de Santillana, y la carta que escribió al Condestable de Portugal sobre el origen de nuestra poesía, ilustrada con notas*, I: *Poema del Cid* (Madrid: Antonio de Sancha).

SÁNCHEZ-ALBORNOZ, Claudio, 1967. "El relato de Alfonso III sobre Covadonga", en sus *Investigaciones sobre historiografía hispana medieval (siglos VIII al XII)* (Buenos Aires: IHE, pp. 161-202.

SANMIGUEL MATEO, Agustín, et al., 1991. *El Cid en el valle del Jalón: Simposio Internacional* (Calatayud: Centro de Estudios Bilbilitanos).

SCHIFF, Mario, 1905. *La Bibliothèque du Marquis de Santillane: étude historique et bibliographique de la collection de livres manuscrits de don Íñigo López de Mendoza, 1398-1458, Marqués de Santillana, Conde del real de Manzanares, humaniste et auteur espagnol célèbre*, Bibliothèque de l'École des Hautes Études, 153 (Paris: Émile Bouillon).

SCHLAUCH, Margaret, 1927. *Chaucer's Constance and Accused Queens* (New York: New York UP).

SEVERIN, Dorothy S., 1976. "Gaiferos, Rescuer of his Wife Melisenda", en *Medieval Hispanic Studies Presented to Rita Hamilton* (London: Tamesis), pp. 227-39.

SHARRER, Harvey L., 1992. "The Spanish Prosifications of the *Mocedades de Carlomagno*", en *Hispanic Medieval Studies in Honor of Samuel G. Armistead* (Madison: HSMS), pp. 273-82.

SHEPARD, William Pierce, 1908. "Two Assumed Epic Legends in Spanish", *MLN*, 23: 146-47.

SICROFF, Seth Ellis, 1988. "Parry-Lord Theory: No Basis for Comparison", tesis doctoral (Harvard Univ.). *DAI*, 49 (1988-89): 3018.

SIMÓN DÍAZ, José, 1955. "El tema literario de 'La campana de Huesca'", *RLit*, 7: 30-49.

SMITH, Colin, 1976. "The Cid as Charlemagne in the **Leyenda de Cardeña*", *Romania*, 97: 509-31.

—, 1980. "The Diffusion of the Cid Cult: A Survey and a Little-Known Document", *Journal of Medieval History*, 6: 37-60.

—, 1982. "Leyendas de Cardeña", *Boletín de la Real Academia de la Historia*, 179: 485-523.

—, 1983. "Epics and Chronicles: A Reply to Armistead", *HR*, 51: 409-28.

—, 1984. "On the 'Lost Literature' of Medieval Spain", en *"Guillaume d'Orange" and the "Chanson de geste": Essays Presented to Duncan*

McMillan in Celebration of his Seventieth Birthday (Reading: Société Rencesvals), pp. 137-50.

—, 1985a. *La creación del "Poema de Mio Cid"* (Barcelona: Crítica). Original inglés, *The Making of the "Poema de Mio Cid"* (Cambridge: UP, 1983).

—, 1985b. "¿Se escribió en Cardeña el *Poema de mio Cid?*", en *Homenaje Galmés*, II, pp. 463-73.

—, 1987a. "The First Prose Redaction of the *Poema de mio Cid*", *MLR*, 82: 869-86.

—, 1987b. "Some Thoughts on the Application of Oralist Principles to Medieval Spanish Epic", en *A Face Not Turned to the Wall: Essays on Hispanic Themes for Gareth Alban Davies* (Leeds: Dept of Spanish and Portuguese, Univ. of Leeds), pp. 9-26.

—, 1990. "The *Siete infantes* Reborn in Scotland", C, 18.2 (primavera): 83-90.

—, 1992. "The Variant Version of the Start of the *Poema de Mio Cid*", C, 20.2 (primavera): 32-41.

—, 1994. "Toward a Reconciliation of Ideas about the Medieval Spanish Epic", *MLR*, 89: 622-34.

SORIANO DEL CASTILLO, Catherine, 1991. "*Los hechos del Condestable don Miguel Lucas de Iranzo*: estudio y edición", tesis doctoral (Univ. Complutense).

STERN, S.M., 1959. "A *Romance* on Galiana", *BHS*, 36: 229-31.

SWEENEY, R.D., 1971. "Vanishing and Unavailable Evidence: Latin Manuscripts in the Middle Ages and Today", en *Classical Influences on European Culture* AD *500-1500*, ed. R.R. Bolgar (Cambridge: UP), pp. 29-36.

TATE, Robert B., 1988. "Spanish Literature: Lost Works", en *Dictionary of the Middle Ages*, ed. Joseph R. Strayer, XI (New York: Charles Scribner's Sons para el American Council of Learned Societies), pp. 442-45.

UBIETO ARTETA, Antonio, 1951. "*La campana de Huesca*", *RFE*, 35: 29-61.

—, ed., 1961. *Crónica de San Juan de la Peña: versión latina*, TM, 4 (Valencia: Anubar).

—, ed., 1964. *Corónicas navarras*, TM, 14 (Valencia: Anubar).

—, ed., 1966. *Crónica Najerense*, TM, 15 (Valencia: Anubar).

—, 1972. "El *Cantar de Mio Cid* y algunos problemas históricos", *Ligarzas*, 4 (*Homenaje a Rafael Benítez Claros*): 5-192. Reimpr. como libro, con enmiendas e índices (Valencia: Anubar, 1973).

—, 1980. "¿Una canción de gesta perdida?: *La muerte de Pedro de Ahones*", en *Études de philologie romane et d'histoire littéraire offerts à Jules Horrent à l'occasion de son soixantième anniversaire* (Liège: Comité Organisateur, impr. Tournai: Gedit, 1980), pp. 489-501.

—, 1981. *Historia de Aragón: literatura medieval*, I (Zaragoza: Anubar).

UITTI, Karl D., 1985. "A Note on Historiographical Vernacularization in Thirteenth-Century France and Spain", en *Homenaje Galmés*, I, pp. 573-92.

VALENCIANO, Ana, 1992. "Memoria, innovación y censura colectiva en la tradición oral: épica yugoslava versus romancero hispánico", en *Estudios de folklore y literatura dedicados a Mercedes Díaz Roig* (México: Colegio de México), pp. 33-40.

VAQUERO, Mercedes, 1984. "El *Poema de Alfonso XI*: ¿crónica rimada o épica?", tesis doctoral (Princeton Univ.).

—, 1987a. "The *Poema da batalha do Salado*: Some New Stanzas and the *Poema*'s Relation to Castilian and Latin Texts", *Portuguese Studies*, 3: 56-69.

—, ed., 1987b. Gonzalo de Arredondo, *Vida rimada de Fernán González*, EHT, 44 (Exeter: Univ.).

—, 1989. "Literatura popular en un episodio del *Libro de las bienandanzas e fortunas* de Lope García de Salazar", en *Congreso de literatura (hacia la literatura vasca): II Congreso Mundial Vasco* (Madrid: Castalia), pp. 575-86.

—, 1990a. "El cantar de la *Jura de Santa Gadea* y la tradición del Cid como vasallo rebelde", *Olifant*, 15: 47-84.

—, 1990b. "El rey don Alfonso, al que dixieron el Bravo e el de las partiçiones", *BRAE*, 70: 265-88.

—, 1990c. *Tradiciones orales en la historiografía de fines de la Edad Media*, Spanish Series, 55 (Madison: HSMS).

—, 1993. "Relaciones feudo-vasalláticas y problemas territoriales en el *Cantar de Bernardo del Carpio*", en *Charlemagne in the North: Proceedings of the Twelfth International Conference of the Société Rencesvals, Edinburgh 4th to 11th August 1991*, ed. Philip E. Bennett et al. (Edinburgh: Société Rencesvals British Branch), pp. 475-84.

—, 1994. "Spanish Epic of Revolt", en *Epic and Epoch: Essays on the Interpretation and History of a Genre*, ed. Steven M. Oberhelman et al., Studies in Comparative Literature, 24 (Lubbock: Texas Tech UP), pp.146-63.

WAILES, Stephen L., 1983. "The Romance of *Kudrun*", *Speculum*, 58: 347-67.

WALPOLE, Ronald N., 1956-57. "The *Nota emilianense*: New Light (but How Much?) on the Origins of the Old French Epic", *RPh*, 10: 1-18.

WALSH, John K., 1974. "Religious Motifs in the Early Spanish Epic", *Revista Hispánica Moderna*, 36 (1970-71 [1974]): 165-72.

—, 1990-91. "Performance in the *Poema de Mio Cid*", *RPh*, 44: 1-25.

—, & Alan DEYERMOND, 1979. "Enrique de Villena como poeta y dramaturgo: bosquejo de una polémica frustrada", *NRFH*, 28: 57-85.

—, & B. Bussell THOMPSON, ed., 1985. *Historia del virtuoso cavallero don Túngano (Toledo 1526)*, [Pliegos Hispánicos, 1] (New York: Lorenzo Clemente).

WEBBER, Ruth House, 1951. *Formulistic Diction in the Spanish Ballad*, UCPMP, 24.2 (Berkeley: Univ. of California Press).

—, 1966. "The Diction of the *Roncesvalles* Fragment", en *Homenaje a Rodríguez-Moñino: estudios de erudición que le ofrecen sus amigos o discípulos hispanistas norteamericanos* (Madrid: Castalia), II, pp. 311-21.

—, 1991. "The Spanish Epic in the Context of the Medieval European Epic", en *Studia Riquer*, IV, pp. 333-44.

WEISS, Julian, 1990. *The Poet's Art: Literary Theory in Castile c. 1400-60*, *MAe* Monographs, ns, 14 (Oxford: SSMLL).

WEST, Andrew F., 1905. "The Lost Parts of Latin Literature", *The School Review* (Chicago), 13: 371-81.

WEST, Beverley, 1983. *Epic, Folk, and Christian Traditions in the "Poema de Fernán González"* (Potomac, MD: Studia Humanitatis).

WEST, Geoffrey R., 1975. "History as Celebration: Castilian and Hispano-Latin Epics and Histories, 1080-1210 AD", tesis doctoral (Univ. of London (Westfield College)).

WHETNALL, Jane, 1986. "Manuscript Love Poetry of the Spanish Fifteenth Century: Developing Standards and Continuing Traditions", tesis doctoral (Univ. of Cambridge).

WILSON, R.M., 1970. *The Lost Literature of Medieval England*, 2ª ed. (London: Methuen).

WRIGHT, C.E., 1949-53. "The Dispersal of the Monastic Libraries and the Beginnings of Anglo-Saxon Studies: Matthew Parker and his Circle: A Preliminary Study", *Transactions of the Cambridge Bibliographical Society*, 1: 208-37.

WRIGHT, Roger, 1979. "The First Poem on the Cid: The *Carmen Campi Doctoris*", en *Papers of the Liverpool Latin Seminar*, II (Liverpool: Francis Cairns), pp. 213-48.

—, 1982. *Late Latin and Early Romance in Spain and Carolingian France*, Arca, 8 (Liverpool: Francis Cairns).

—, 1985-86. "How Old Is the Ballad Genre?", C, 14: 251-57.

—, 1990. "Several Ballads, One Epic, and Two Chronicles (1100-1250)", C, 18.2 (primavera): 21-37.

ÍNDICES

ÍNDICE DE COLABORADORES

Los nombres que siguen corresponden a colegas que me sugirieron una entrada, me ofrecieron un dato bibliográfico, me corrigieron un error, etcétera.

AMF	Alberto Montaner Frutos (Univ. de Zaragoza): p. 61; Aa3, 7, 8, 9, 9.6, 10.6,17, 18, 22; Ab1
CBF	Charles B. Faulhaber (Univ. of California, Berkeley): Ab2, 3
DH	David Hook (King's College London): Aa19, 28
GRW	Geoffrey West (Hispanic Section, The British Library): Aa10.1
IUM	Isabel Uría Maqua (Univ. de Oviedo): Ab4
MMRF	María Morrás Ruiz-Falcó (Univ. Pompeu Fabra): Aa8
MV	Mercedes Vaquero (Brown Univ.): Aa18
RHPW	Roger Wright (Univ. of Liverpool): p. 61
SGA	Samuel G. Armistead (Univ. of California, Davis): Aa2; p. 161.

ÍNDICE DE OBRAS PERDIDAS Y SUS AUTORES

La entrada dedicada a la obra referida va en negrillas; se dan en caja normal las otras entradas donde dicho texto se menciona.

ÍNDICE DE OBRAS HIPOTÉTICAS

Se incluyen aquí las que, según algunos investigadores, son obras perdidas, pero que no parecen merecer una entrada numerada en el catálogo.

ÍNDICE DE FUENTES

Se registran aquí las fuentes primarias y principales de los datos para las entradas numeradas del catálogo. No se incluyen las fuentes mencionadas en el primer capítulo, ni en las secciones introductorias de los apartados; éstas van registradas en el Índice de materias. No se incluyen tampoco los investigadores cuyos trabajos y sugerencias directas resultaron imprescindibles para la construcción de las entradas; éstos se registran en el Índice de colaboradores y en el de investigadores.

ÍNDICE DE MANUSCRITOS

Este índice registra únicamente los manuscritos que se citan en el catálogo por alguna razón especial.

ÍNDICE DE INVESTIGADORES Y BIBLIÓFILOS

Se registran aquí comentarios, citas o resúmenes, por breves que sean, de los trabajos de investigadores, y alusiones a bibliófilos. Las meras referencias bibliográficas, en cambio, no se incluyen.

ÍNDICE DE MATERIAS

No se repite aquí lo registrado en los otros índices, de modo que, por ejemplo, para rastrear todas las referencias a la *Crónica de los reyes de Castilla*, hay que consultar tanto este índice como el de Fuentes. Cuando se menciona a un monarca sin nombre de reino, entiéndase "de Castilla y León"

CONTENIDO DE LOS TOMOS II-IV

La distribución de los apartados entre los tomos es provisional, pero su orden es definitivo. Cada tomo tendrá su bibliografía y sus índices.

Tomo II
(en colaboración con Jane Whetnall)

Tomo III

Tomo IV

Literaturas religiosa, didáctica y técnica

M. Biblias
- Ma. Traducciones de la Biblia
- Mb. *Vitae Christi*
- Mc. Otros textos apócrifos
- Md. Comentarios

N. Literatura mariana
O. Hagiografía
P. Catequismos, confesionarios y otras obras pastorales
Q. Teología
R. Obras didácticas y devocionales
S. *Exempla* y obras sapienciales
- Sa. *Exempla*
- Sb. Obras sapienciales

T. Sátira
U. Ciencia, medicina y mágica
- Ua. Ciencia
- Ub. Medicina
- Uc. Mágica

V. Filosofía y lógica
W. Obras jurídicas
- Wa. Derecho canónico
- Wb. Derecho civil

X. Tratados políticos
Y. Tratados técnicos
Z. Retórica, poética y gramática
- Za. Retórica
- Zb. Poética
- Zc. Gramática

ZY. Géneros efímeros
- ZYa. Cartas
- ZYb. Panfletos
- ZYc. Discursos
- ZYd. Sermones

ZZ. Obras de género desconocido

ESTE LIBRO SE TERMINÓ DE IMPRIMIR,
EN LOS TALLERES DE
EUROPA ARTES GRÁFICAS, S.A.
EL DÍA 17 DE ENERO DE 1995
FESTIVIDAD DE SAN FRANCISCO DE SALES.

LAUS DEO